Cuando Dios llega, los milagros ocurren

Biografía

Neale Donald Walsch es un mensajero espiritual del mundo contemporáneo, cuyos libros han sido traducidos a 37 idiomas y siete de ellos se encuentran en la lista bestsellers de *The New York Times*. Además, es el creador del Programa espiritual sobre Conversaciones con Dios, un taller de tres meses y 36 lecciones que brinda la oportunidad de perfeccionar la experiencia cotidiana. Entre sus obras se encuentran títulos como *Conversaciones con Dios*, *Amistad con Dios*, *Cuando Dios llega, los milagros ocurren*. Mantiene interacción de manera regular con sus lectores en el foro global www.nealedonaldwalsch.com

Neale Donald Walsch
Cuando Dios llega,
los milagros ocurren

Título original: *When God Steps in, Miracles Happen*
Traducción: Berenice García Lozano

Diseño de colección: Laura Comellas / Departamento de diseño. División Editorial del Grupo Planeta
Diseño de portada: Liz Batta
Adaptación de portada: Beatriz Díaz Corona
Imagen de portada: © Shutterstock

© 2011, Neale Donald Walsh
Publicado mediante acuerdo con Hampton Roads Publishing
Company, Inc., Estados Unidos.

Derechos exclusivos en español para América Latina

© 2012, 2015, Editorial Planeta Mexicana, S.A. de C.V.
Bajo el sello editorial BOOKET M.R.
Avenida Presidente Masarik núm. 111, Piso 2
Colonia Polanco V Sección
Deleg. Miguel Hidalgo
C.P. 11560, México, D.F.
www.planetadelibros.com.mx

Primera edición: febrero de 2012
Primera edición en esta presentación en Booket: abril de 2015
ISBN: 978-607-07-2736-8

Impreso en los talleres de Impresora y Editora Infagon, S.A. de C.V.
Escibilla número 3, colonia Paseos de Churubusco, México, D.F.
Impreso en México – *Printed in Mexico*

Hay más cosas en el Cielo y en la Tierra,
Horacio, que todas las que pueda soñar tu filosofía.

William Shakespeare

Para ti, mamá.

Agradecimientos

Quiero agradecer a Greg Brandenburgh, editor de Hampton Roads, quien tuvo la idea de volver a publicar este texto con una nueva envoltura, diez años después de su aparición inicial, transmitiendo así su mensaje a un público lector completamente nuevo. A mi antigua esposa y todavía maravillosa amiga, Nancy, quien con mano orientadora y genio editorial empapó la primera publicación de este material. También mi profundo aprecio a Rita Curtis, amiga cercana y duradera que tuvo la paciencia de editar las historias personales después de leer cientos de envíos, y cuyo extraordinario compromiso al proyecto original de hace una década fue lo que lo hizo posible. Y, finalmente, quiero agradecer a mi esposa y compañera, Em Claire, quien enriquece mi vida de manera indescriptible, ayudándome a ofrecer mis humildes dones al mundo; sus propias contribuciones a la curación y la mejoría de la vida de la gente me han inspirado profundamente.

Contenido

Cuando **Dios** llega

*E*l libro que sostienes entre tus manos es la reedición de uno que, en 2001, salió a la luz con el nombre de *Moments of Grace* (Momentos de Gracia). Aunque me parece inconcebible que hayan pasado diez años desde que este material fuera publicado originalmente, me siento muy contento de que Hampton Roads Publishing Company tomara la decisión de distribuir esta nueva edición, pues creo que nunca está de más volver a transmitir un mensaje tan importante como el que contiene este libro.

¿No te parece increíble que haya concluido la primera *década* del siglo XXI? Si lo piensas, ¡el *diez por ciento* de "los siguientes cien años" (concepción tan futurista a finales de los 90) ya pasó!

Esta no es una observación banal, pues pone en evidencia el hecho de que los años vuelan y cada uno de nosotros tiene una cantidad de tiempo que no solo es limitada sino también se agota ante la enorme dosis de actividad cotidiana. Tener conciencia de la vorágine es lo único que, en un momento dado, parece evitar que metamos nuestro celular a la regadera. (Que Dios nos prohíba estar desconectados por diez dichosos minutos.) Con frecuencia, encendemos la *laptop* antes de vestirnos, pues con todas las cosas que hay por hacer, es mejor salir a trabajar *instantáneamente*.

El resultado de este enfermizo aumento en la velocidad de nuestras vidas es que hacemos más, pero *somos* menos. Estamos menos descansados, menos relajados, menos en paz, a pesar de que se necesita una mayor armonía interior para satisfacer los inagotables requisitos de nuestros días. Tenemos menos serenidad, menos dicha, menos confianza, a pesar de que todo esto es necesario para enfrentar los desafíos de nuestra época.

He pensado mucho en esto. ¿Qué podría darnos más confianza en la vida durante estos tiempos caóticos? ¿Y qué podría brindarnos una mayor paz interior?

Quizá si supiéramos que no estamos solos...

Por esta razón autoricé la reedición del presente libro, pues sé que si la gente tiene acceso a este material empezará a experimentar la verdadera alegría de la vida y el *tesoro* absoluto que es Cada Momento.

Quiero que el lector tome conciencia del *prodigio* que es cada año, cada mes, cada semana, cada día, cada hora, cada minuto y cada segundo, pues conforman un regalo de proporciones incomparables. Una simple inhalación es una ofrenda del amor que Dios siente por ti.

Mi intención es invitarte a experimentar esto en tu vida, porque cuando seas capaz de percibir el momento a momento de la existencia como un tesoro, contemplarás todo de forma distinta y reconocerás la maravilla con que Dios ha imbuido esta manifestación. La capacidad de relajarnos frente a los momentos individuales nos permite identificar los milagros, y nada nos puede dar más confianza que saber que hay un Hacedor de Milagros junto a nosotros.

Incluso en nuestro frenético mundo, una manera como puedes ponerle pausa a la vorágine consiste en, al menos seis veces al día, hacer un alto, cerrar los ojos y respirar lenta y profundamente.

Cuando digo que respires lenta y profundamente, me refiero a no menos de cinco segundos en la inhalación y cinco segundos en la exhalación. Es una respiración relajante, una respiración en la que simplemente se detiene todo.

Esta práctica requiere de sesenta segundos al día, lo que significa un minuto diario para establecer contacto con el Regalo de la Vida y lo increíble del Momento Presente (sin importar *lo que* parezca ofrecer).

¿Sabes qué? Puedes hacer esto ahora; solo detén todo, cierra tus ojos y respira de manera lenta y profunda durante diez segundos.

Anda, aquí espero.

Bien, muy bien.

Si haces esto seis veces cada día, mientras pronuncias: *con esta respiración le doy la bienvenida a lo Divino*, abrirás una ruta a la presencia de Dios. Pronto empezarás a ver el milagro en todos los lugares, en toda la gente y en todos los momentos. No solo experimentarás que *hay* un Dios, sino también que está *contigo* en todo momento, en cada lugar y situación. Y esto, mi maravilloso amigo, puede cambiar tu vida.

El nuevo título que el editor le ha dado a este libro enfatiza las veces *cuando Dios llega*, y si bien es un epígrafe atractivo, yo lo encuentro un poco impreciso, pues implica que hay momentos en los que Dios no lo hace. De hecho, no existe tal momento, pues Dios es Omnipresente y no hay un solo instante en que "salga de escena" para tomarse un café o algo.

Mis conversaciones con Dios demostraron este punto y, por esta razón, para mí la cuestión no es que Dios esté con nosotros, sino que *nosotros* estemos con *Él*; no que Dios haya aparecido, sino que nosotros nos hayamos desentendido. El problema no es que Dios note nuestra presencia, sino que nosotros notemos la de Él.

Darnos cuenta de Dios cambia todo el cuadro, nos hace conscientes de su *presencia* y de sus regalos. Y entre más nos encontremos en sintonía con estos dones, más los recibiremos, como las señales de radio o televisión que siempre están ahí, pero solo un receptor nos permite experimentarlas y disfrutarlas.

Este libro es acerca de estar sintonizado, es decir, la capacidad para distinguir los regalos de Dios; a través de sus capítulos te invito a abrir los ojos e identificar los dones siempre presentes del Creador.

Con esta lectura quizá te sientas tentado a creer que los acontecimientos aquí descritos son inusuales o extraordinarios, pero no lo son. El tipo de cosas de las que habla la gente en estas páginas suceden todo el tiempo.

Estas historias no están aquí para impresionarte por su rareza, sino por su frecuencia. El hecho es que Dios aparece a *cada* momento, y mi esperanza es que este libro genere en ti la certeza de que Él *siempre* lo hace.

Ciertamente, esta ha sido la experiencia de mi vida, pues puedo recordar cientos de veces cuando todo se acomodó en beneficio mío, a pesar de que las circunstancias o condiciones parecían indicar lo contrario. Por lo tanto, he aprendido a *contar con los milagros*, y también a que *contar* con ellos los *produce*.

La vida se crea a partir de nuestras ideas sobre ella. ¡*Eso*, en sí, es un milagro! Y si este libro te acerca un poco más a esta noción —saber que Dios siempre está de nuestro lado, es nuestro mejor amigo y hace que la vida funcione de la manera más benéfica para nuestra alma—, finalmente conoceremos la paz interna y nuestra confianza remontará el vuelo.

Podemos comenzar este viaje considerando la posibilidad de que la llegada de este libro a tus manos sea uno de los pequeños trabajitos del Creador.

¿No sería interesante que así fuera?

Agárrate, mi amigo, o mejor *relájate*, porque tengo noticias: lo es.

Sonrientes saludos,

Neale Donald Walsch
Ashland, Oregón.
Febrero de 2011

1

Cuando la vida cambia de curso

*D*ios interviene en nuestras vidas en formas muy reales, directas y visibles. Son momentos en los que algo sucede, grande o pequeño, y provoca un Cambio de Curso, como el que experimentaste al elegir este libro.

Hay muchas maneras en que Lo Divino deambula en nuestras vidas, especialmente cuando nos abrimos a la posibilidad de los milagros. Una vez que en nuestra psique damos paso al potencial de ser tocados por Dios, en formas que solo podríamos imaginar en nuestros sueños, entonces estos se vuelven realidad.

Hace unos años escribí un libro llamado *Conversaciones con Dios*, el cual llamó la atención en todo el mundo. Creo que ese libro fue una inspiración directa de Dios durante Momentos de Gracia, y tengo la certeza de que no soy el único que recibe tales inspiraciones y experimenta esos momentos. Si *Conversaciones con Dios* nos enseñó algo, es porque Dios nos habla a todos nosotros, todo el tiempo; sin embargo, solo podemos oírlo cuando estamos abiertos a escuchar.

Deja que aquellos que tengan oídos para oír, escuchen.

Pero he aquí las asombrosas noticias: Dios no solo tiene conversaciones con nosotros, sino que nos *visita* todos los días, *en persona*.

Este libro trata sobre dichas visitas, y creará un cambio de curso en tu existencia debido a que los protagonistas de estas historias son gente real, como tú. No es la historia de maestros o gurús o santos o sabios, sino de gente común y corriente que tuvo un "encuentro con Dios" y jamás lo olvidó. Debido a que las anécdotas giran en torno a gente real que vive vidas como la tuya o la mía, son muy convincentes.

Para mí esta Fuerza se llama Dios. Tú puedes llamarla como quieras, y como sea que la nombres —coincidencia, hallazgo afortunado, sincronicidad, suerte, intuición, inspiración—, después de leer este libro descubrirás que es muy difícil negar que *ahí está*; justo *ahí*, en nuestras vidas, todos los días, produciendo milagros, haciendo la magia que cambia todo.

Esto sucede en la vida de todos. Susan Tooke, de cuarenta y tres años, quien reside en Herkimer, Nueva York, dice que en su vida aconteció de esta manera...

Mi hijo de once años y yo nos dirigíamos al sur del estado para acampar y navegar en el río Hudson. Durante el trayecto de dos horas escuchamos *Conversaciones con Dios*, como siempre lo hacemos cuando vamos juntos en el auto.

Era una tarde de agosto, cálida y llena de sol, y notamos que habíamos visto muchas mariposas monarca durante nuestro viaje. Sintiéndome llena de luz y amor mientras navegábamos despacio, visualicé en mi mente a Jesús, parado en un campo con los brazos extendidos, llamando a las mariposas. Naranjas, negras y hermosas, ellas obedecían la orden y lo cubrían completamente, posándose en sus brazos, manos y cabeza. Fue una imagen maravillosa que inundó de calma mi corazón.

Al sentir en ese momento que era una con Dios, también llamé a las mariposas de la misma forma. Fue un momento sublime en mi mente y quise prolongarlo para que jamás terminara.

Después la duda empezó a invadirme. *Quizá estoy inventando todo*, pensé. *Todos estos sentimientos y visiones no son nada sino creaciones de mi propia imaginación*. Me sentí frustrada. *Desearía que hubiera una forma de saber que Dios es real y soy parte de Él*.

En ese momento le pedí al Señor que me diera una señal y se revelara ante mí de una manera tangible durante el viaje. No quería tener que esperar más, deseaba que sucediera en *ese paseo*, justo en ese instante. Incluso utilicé las palabras *Yo Soy* para invocar la experiencia, y dije: *Yo Soy* la receptora de una señal.

Esa noche acampamos en una isla, y el día siguiente nos trajo un hermoso amanecer. Los rayos del sol se reflejaban en el agua y acariciaban mis ojos mientras iba despertando. Al sentarme en la mesa de picnic a observar las olas en la playa, una gran mariposa monarca descendió de la nada y empezó a bailar frente a mi rostro. Después no cupe en mi sorpresa al contemplar que la mariposa empezó a volar sobre la tienda de campaña donde mi hijo todavía dormía.

Inmediatamente dije:

—¡Qué hermosa eres! ¡Ven aquí!

Al extender mi mano, observé atónita que la mariposa se posó en ella.

¡Era tan bonita! Sus alas de color naranja y negro eran gigantes y perfectas, y se mantuvo serena durante varios segundos en la palma de mi mano. Mi hijo despertó al escuchar mi voz, y asomando su cabeza por la tienda de campaña, vio la mariposa en mi mano.

El asombro nos invadió a ambos.

Por supuesto, yo sabía *Quién* había enviado este regalo, pues era la respuesta a una petición mía. A partir de entonces sé que *puedo* invocar esta clase de experiencias, y que todos podemos hacerlo en momentos de gratitud, alabanza y comunión pura con Todo Lo Que Es.

Ahora bien, si no estás atento puede pasar inadvertida la grandeza del momento, o quizás estés de acuerdo en que fue algo bello aunque no demuestre nada, y que Susan está exagerando un poco el asunto para probar su historia.

¿Pero qué le dirías a Bill Colson, de Ogden, Utah?

La respiración de mi padre se había vuelto difícil, dolorosa. Él había orbitado entre la vida y la muerte durante días, mientras toda la familia permanecía ahí, vigilante.

Arruinado por el cáncer, el cuerpo debilitado de papá —que parecía estar desapareciendo frente a nuestros ojos— temblaba de vez en cuando ante lo que yo solo podía suponer que eran espasmos de dolor. Dejando atrás cualquier habilidad para quejarse, no había dicho una sola palabra ni abierto los ojos en setenta y dos horas.

—Dios mío —mi mamá dijo con delicadeza, sentada al lado de su cama—, ¿cuánto más puede durar esto?

Pasaba de la una de la mañana, y la pobre estaba exhausta; todos lo estábamos. Mis padres habían permanecido casados durante 61 años, y nada ni nadie podían apartar a mamá de ahí en esos momentos.

Fue en ese instante cuando tuve mi conversación con Dios.

—¿Debe sufrir así? —le pregunté a Él, en forma silenciosa y apremiante desde mi corazón—. Mi padre ha sido un buen hombre, Dios. Y ya terminó su trabajo aquí, no dejó nada pendiente, no hay nada más que completar. Por favor, ¿podrías llevártelo ahora? ¿Podrías detener su dolor? Si estás aquí, Dios, *y sé que Tú lo estás*, permite que esto termine.

En ese instante, la respiración de papá se hizo menos agitada, y en menos de tres minutos él se había ido suavemente, como si cayera en un profundo sueño.

Mis ojos se llenaron de lágrimas. Jamás había dudado de Dios antes y, ciertamente, *jamás* volvería a dudar de Él.

¿Coincidencia? ¿Sincronicidad? No lo creo.

¿Un Momento de Gracia? Sí.

Los Momentos de Gracia son ocasiones en que Dios interviene en nuestras vidas de forma real, directa y visible. Son momentos en que algo sucede, grande o pequeño, y provoca un cambio en el curso de la vida.

Tú experimentaste un Momento de Gracia al tomar este libro entre tus manos.

2

Existen muchas mansiones

*H*ace treinta años, Bill Tucker aprendió la lección de fe y no solo no la ha olvidado, sino que la ha invocado muchas veces para recordarse a sí mismo que nada es imposible y que solamente se requiere una cosa: convicción.

Aunque tenía una licencia y administraba una oficina de bienes raíces, en aquella época Bill jamás había vendido una casa. Con frecuencia se quedaba hasta la noche para hablar con los agentes que regresaban de mostrar las casas. Era su responsabilidad revisar las ofertas de compra, y no quería retrasar ninguna negociación —ni perder alguna— por no encontrarse disponible en el momento.

Las diez, sin embargo, era lo suficientemente tarde como para que ninguna oficina estuviera abierta, pensó una noche mientras veía su reloj y bostezaba. *Me voy a casa*, se dijo a sí mismo. *Es todo por hoy.* Pero entonces escuchó voces que provenían de la entrada de la oficina. *Debo haber olvidado cerrar la puerta*, dudó mientras se paraba a investigar.

—Lo siento —se disculpó ante la joven pareja que encontró parada en el mostrador—, la oficina ya cerró.

Era una pareja diminuta, ella medía como 1.50 y él era apenas un poco más alto. Había dos niños pequeños merodeando tímidamente detrás de ellos.

—Como las luces están encendidas —observó la pequeña mujer— y usted está aquí, ¿no es cierto? —agregó dulcemente.

—Sí —contestó Bill—, pero verán, yo soy el administrador y solo espero el regreso de los agentes para poder cerrar por hoy.

—Somos los Johnson… Ted y Amy. Necesitamos comprar una casa esta noche, así es que va a tener que ayudarnos —insistió ella.

—¿Por qué esta noche, señora Johnson? —preguntó Bill.

Ella respiró profundamente.

—Porque tenemos que mudarnos mañana.

Hasta ese momento, Bill se había abstenido de hacer un gesto de impaciencia.

—Eso es imposible, señora —sonrió con tranquilidad—. Antes que nada, incluso si esta noche encontraran una casa que les gustara, tendríamos que enviar una oferta al dueño. Luego habría que esperar una posible contraoferta. En ese momento ustedes tendrían que solicitar una hipoteca al banco. La casa debe ser valuada y el banco debe aprobar el préstamo. Es imposible que ustedes puedan mudarse a una casa en menos de seis semanas.

Esto debe explicar la situación de manera adecuada, pensó. La gente jamás dejaba de sorprender a Bill, y rió en su interior. ¿Ella pensaba realmente que podía entrar a la oficina a las diez de la noche y lograr su objetivo con esta ridícula noción?

Él abrió la boca para sugerir que quizá debían regresar mañana para que Bill pudiera presentarles a algún agente que les ayudara, pero la señora Johnson evidentemente tenía otra idea al respecto.

—No habrá ningún problema, podremos comprar una casa esta noche —dijo ella.

Bill pensó: *quizás ellos tengan el dinero para la casa. Eso, por supuesto, acelerará el proceso.*

—¿Por qué? —preguntó amable.

—Porque le pedí a Dios que nos diera una casa para mañana, y Él jamás me defrauda.

—Entiendo. Bueno, incluso si yo tuviera un agente disponible, es demasiado tarde para ver casas.

Ella no parecía entender su razonamiento.

—¿Usted tiene licencia para vender? —insistió.

Bill contestó afirmativamente.

—Pero yo jamás he vendido una casa y no tengo la suficiente experiencia en esto como para brindarles confianza.

—¿Usted cree en Dios, no es cierto?

Bill sonrió con indulgencia.

—Seguro. Ese no es el punto, pero...

Ella interrumpió,

—¿Usted cree en los milagros?

—Bueno... sí.

De hecho, Bill había experimentado muchos acontecimientos sorprendentes en su vida.

La señora Johnson se estiró, sacó el pecho y dijo:

—Mire, hoy recé y le pedí a Dios que me diera una casa... mmm, ¿podemos sentarnos?

Bill asintió, señalando un par de sillas frente al escritorio de un agente. Él se sentó detrás del mismo.

—Le pedí a Dios —siguió la mujer— que nos diera una casa a la que nos pudiéramos mudar mañana.

Las cejas de Bill se alzaron rápidamente.

—No tenemos dónde vivir —la señora Johnson dijo con sencillez—. Pensamos que le habíamos comprado una casa a una señora mayor que había accedido a financiarla para nosotros. Venimos de unos 300 kilómetros al norte, pero mi esposo encontró un trabajo aquí, así es que empacamos y nos mudamos. Al llegar, la señora no se había mudado... y cuando le preguntamos cuándo lo haría, ella dijo que no cambiaría de residencia. Ella pensó que el trato consistía en que viviéramos con ella, así es que nos mandó al sótano.

Bill silbó suavemente, moviendo la cabeza.

—Esa es una historia muy extraña —comentó.

En sus veinte años en el negocio había escuchado muchas historias de horror, y esta calificaba para uno de los primeros lugares de la lista.

La señora Johnson continuó:

—Por supuesto que no podemos vivir en el sótano de la casa de esta señora, pues tenemos a nuestros hijos aquí. Entre otras cosas, diario nos tenemos que asear en el baño de la gasolinera que está al final de la calle. Anoche le pedí a Dios un milagro porque no podemos continuar así, por eso es que estuvimos manejando para encontrar una oficina de bienes raíces abierta. ¡Y aquí está usted!

A través de la ventana de la entrada, Bill podía ver en el estacionamiento el auto viejo y maltratado de la pareja.

—¿Cuánto dinero tienen para un pago inicial? —preguntó, casi sin querer escuchar la respuesta.

—No tenemos nada de dinero. Ted no ha podido trabajar durante los últimos diez años. Verá, él es un alcohólico en recuperación y estamos empezando de nuevo, pero no es fácil. Yo he trabajado medio tiempo como mesera.

Esta situación cada vez está peor, pensó Bill. *¿Cómo se les ocurre que pueden comprar una casa sin dinero?*

—¿Ha estado manteniendo a su familia con un salario de mesera? ¿Por qué trabajaba solo parte del tiempo? —se preguntó Bill en voz alta.

—Tenía que hacerlo —explicó la señora Johnson—, para poder ofrecer mis servicios como voluntaria en la iglesia. Eso es importante para mí, y nos las arreglamos… ese no es el problema. El problema es que no tenemos dónde vivir. Ya se habrá dado cuenta de que no somos quisquillosos. Tomaremos la casa más barata que podamos encontrar.

—¿Por qué no buscan un lugar para rentar? —sugirió Bill—. Recupérense, ganen un poco de dinero y ahorren para una casa.

—Hemos estado rentando durante años —dijo la mujer, rechazando la idea—. Es momento de tener un lugar para nosotros. Y podemos hacerlo, con la ayuda de Dios. ¡Mire cómo nos trajo hasta usted!

Sí, bueno, pues buena suerte, señora, pensó Bill, quien al mismo tiempo se sentía intrigado por la vehemente fe que esta mujer exhibía. Y reflexionó: *¿quién era él para interferir con su milagro?* Bill sacó su carpeta con un infinito listado de inmuebles, *al menos podría echarle un ojo*, se dijo a sí mismo con un suspiro interno.

—Bueno, aquí hay una que cuesta 54 mil dólares. No es la parte más linda de la ciudad, pero es un precio bastante bajo. ¿Cuánto ganará su esposo en su nuevo trabajo?

El señor Johnson había estado callado hasta ahora, pero en ese momento interrumpió su silencio.

—Tengo mucha suerte de tener trabajo. Empiezo como conserje mañana, y ganaré seis dólares por hora.

Bill vio a ambos con recelo.

—Eso no es mucho —observó y sacó su calculadora para picar unos cuantos números—. Menos de 12 500 dólares al año.

El hombre asintió.

—Lo más que pueden permitirse con ese salario es una casa de 36 mil dólares, y no hay tal. Y si la hubiera, el banco va a requerir un pago inicial. Todo esto es muy poco probable, señor y señora Johnson.

—Pero usted dijo que creía en los milagros —dijo la señora Johnson en voz baja.

—Sí —sonrió Bill con timidez—, pero no dije que pudiera realizarlos.

La pareja no dejaba de verlo. *Bueno,* pensó, *solo tendré que probar la imposibilidad del asunto.* Bill tomó el teléfono y marcó al agente que tenía asignada la casa de la que acababan de hablar.

—Haremos una oferta —dijo, aunque sabía cuál sería el resultado.

Al principio, la agente se sintió maravillada pues, por lo que Bill podía ver, el inmueble había estado en el mercado por más de un año. Sin embargo, cuando la agente escuchó que la oferta era de 36 mil dólares, Bill obtuvo la segunda reacción esperada. Ella se indignó y él tuvo que insistir en que transmitiera la oferta al dueño, recordándole que la ley establece que todas las ofertas de buena fe deben presentarse.

Pocos momentos después, la agente devolvió la llamada.

—El dueño tiene una respuesta —dijo ella, menos molesta ahora porque algún tipo de trato parecía posible—. La contraoferta es de 45 000 dólares, y creo que deben aceptarla.

—Gracias —contestó Bill sinceramente—, pero déjame explicarte la situación. Mis clientes no tienen dinero ahorrado, y no ganan mucho que digamos. Tendrán mucha suerte de encontrar un banco que les preste los 36 000, ni hablar de los cuarenta y cinco. Seguiremos las negociaciones con una respuesta de 35 500 dólares.

—Estoy segura de que el dueño no la aceptará —dijo la agente, dándolo por hecho.

Bill contestó:

—No tienes derecho a hacer esa afirmación. Te solicito que presentes la contra-contraoferta —dijo, empezando a sentirse inspirado, después de todo podría ser un ejercicio interesante.

La agente llamó a los cinco minutos.

—Hice la oferta y los dueños están dispuestos a que enseñe la casa. Creemos que cuando los compradores la vean, querrán dar el dinero que pedimos.

—No creo que puedan —Bill le dijo de nuevo.

—He visto suceder cosas más extrañas —dijo la agente de bienes raíces—, mostremos la casa.

—Bueno —accedió Bill, y dijo adiós para poner al corriente a los Johnson. Ellos solo se sentaron, sonriendo. Bill no podía creer que hubiesen llegado tan lejos. Por supuesto que en la mañana todos entenderían lo inútil del esfuerzo, pero eso era parte del negocio inmobiliario. La pareja era buena, y él estaba dispuesto a pasar por todo el proceso hasta que se dieran cuenta por ellos mismos.

Al día siguiente, mientras Bill manejaba hacia la casa, se sentía un poco triste al imaginar cuál sería su más probable aspecto. Era, después de todo, la casa más barata del mercado y en la peor zona de la ciudad. La calle estaba llena de baches, y había carros abandonados y céspedes descuidados por todos lados. Bill suspiró mientras se estacionaba frente a una modesta reja.

La agente de bienes raíces lo estaba esperando, y los Johnson estaban junto a ella, con el rostro esperanzado. Bill temía lo tristes que se pondrían, y se alegró de que su trabajo no consistiera en vender casas y tener que ser, en ocasiones, el instrumento de la desilusión de las personas.

Cuando la agente abrió la reja, Bill se quedó sin aliento. ¡La pequeña casa era encantadora! El señor y la señora Johnson sonrieron abiertamente. Era una casa adorable al estilo Cape Cod, de color rojo y blanco, y tenía buhardillas y persianas en todas las ventanas. Cuando entraron por la puerta principal, Bill observó que la alfombra y el linóleo eran nuevos. Toda la madera había sido barnizada, y pusieron nuevos electrodomésticos y gabinetes en la minicocina. La casa estaba inmaculada y completamente decorada con muebles nuevos en todas las habitaciones, que entraban dentro del paquete. ¡Era una joya!

—¡La tomamos! —exclamó con alegría la señora Johnson.

—Grandioso. Manejemos hacia la casa del dueño para concluir las negociaciones —dijo sonriendo la agente.

La pequeña caravana se alejó del vecindario venido a menos para llegar a un encantador suburbio, y estacionarse ante una propiedad espaciosa. Un hombre que parecía oso, vestido con un overol, salió al encuentro de la tropa.

—Buenos días, soy George Rockwell —los saludó cálidamente para después llevarlos a una alegre cocina donde su esposa servía café para todos.

Cuando estaban sentados en las sillas, el señor Rockwell vio al señor Johnson directo a los ojos.

—¿Qué pasa con usted, señor? ¿Por qué no está dispuesto a proveer a su familia al menos con la casa básica a un precio razonable?

—Bueno, mire —empezó el señor Johnson, bajando la mirada hacia su taza—, estoy dispuesto, pero mi agente dice que no puedo pagar más —dijo con dificultad ante la actitud de confrontación del señor Rockwell—. Verá —prosiguió—, soy un alcohólico en recuperación y estuve desempleado durante los últimos diez años. Ahora estoy sobrio, y me acaban de emplear en la Planta Harnischfeger.

El señor Rockwell pareció sorprendido.

—¡Harnischfeger! ¿Quién lo contrató?

—Un tipo amable que se llama Rogers, Charley Rogers.

Rockwell se paró, extendió su mano y exclamó:

—¡Pueden tener la casa por 36 500 dólares!

Bill casi se ahoga con un sorbo de café.

—Perdón —interrumpió mientras recuperaba el aliento—, ni siquiera estamos seguros de poder encontrar un banco que les dé el préstamo.

—No hay problema —fue la respuesta—, los financiaré yo mismo.

—Señor Rockwell —continuó Bill—, este comprador ni siquiera ha sido aprobado.

—¿A quién está representando, señor Tucker? —preguntó ahora el dueño de la casa. Después se suavizó su voz—. Mire, acabo de jubilarme del departamento de mantenimiento de Harnischfeger después de treinta y seis años. Charley Rogers, quien también era un alcohólico en recuperación, vino a mí hace quince años. Yo le di la oportunidad y trabajó muy bien. Si este hombre es lo suficientemente bueno para Charley, también lo es para mí. ¡Le daré la casa por el precio que ofrece aquí y ahora!

En ese momento los dos agentes voltearon a verse con incredulidad. Se sirvió otra ronda de café, y Rockwell empezó a contar la historia del inmueble que pronto pertenecería a los Johnson (una propiedad que resultó ser muy querida para él).

Su padre había construido la casa y George Rockwell vivió toda su vida ahí, y después de casarse terminó criando a su propia familia en la propiedad. Él mismo hizo todo el trabajo de remodelación y su esposa escogió la alfombra y los muebles. La única razón por la que él y la señora Rockwell se sintieron orillados a mudarse fue que querían invertir su dinero en algo un poco más sustancioso, algo que produjera un mayor rendimiento al final, puesto que su hijo, quien tenía síndrome de Down, tendría necesidades financieras cuando ellos murieran.

Los Johnson irradiaban luz, y conforme los rayos del sol matinal se derramaban por las ventanas, Bill sintió que una pequeña lágrima salía de la esquina de su ojo al tiempo de ver que la agente de bienes raíces tenía que retocarse el rimel.

—¿Podemos mudarnos hoy? —preguntó con esperanza Amy Johnson.

Rockwell metió la mano al bolsillo de su overol y sacó un juego de llaves.

—¡Por supuesto, yo invito! —sonrió, mientras lo ponía en la mano de la señora Johnson.

Ella volteó a ver a Bill y le guiñó el ojo; él le devolvió el guiño. *Así es que de esto se trata la venta de casas (y la vida)*, pensó. *Solo un milagro después de otro*.

Hay muchos mensajes maravillosos en *Conversaciones con Dios*, pero ninguno más importante que esta oración:

La vida marcha a partir de tus intenciones.

Este recordatorio de *Conversaciones con Dios* nos ayuda a entender la relación entre nosotros y lo divino, y el proceso mismo de la vida.

La existencia no es un proceso de descubrimiento, como "veamos qué pasa", sino uno de creación, como "*escojamos* qué pasa".

Se nos ha dicho que estamos hechos a imagen y semejanza de Dios. Pues bueno, Dios es *El Creador*. Dios crea, así es que si en verdad *estamos* hechos a imagen y semejanza de Dios, entonces nosotros también somos creadores.

Y aunque esto es absolutamente cierto, ¿cómo saber cuál es la técnica mediante la cual creamos? La respuesta es sencilla: a través de nuestras intenciones.

Al tener claridad respecto a nuestras intenciones, "ayudamos a Dios", pues cuando uno sabe lo que quiere, utiliza el *poder divino* para participar en un acto de cocreación *consciente* y así producir un resultado específico.

La historia de los Johnson ejemplifica esto con detalle. Sin embargo, la pregunta que esta historia plantea en la mente de quienes piensan en ello con mayor detenimiento es: ¿qué fue primero, el huevo o la gallina? Es decir, ¿fue la fe firme de la señora Johnson en los milagros lo que lo *produjo*? ¿O ya estaba dispuesto el milagro *antes* de que ella creyera en él, o incluso pensara en él, y todo lo que tuvo que hacer fue *verlo*?

¿Qué produjo el milagro?

Esa es la pregunta.

Conversaciones con Dios nos dice que fueron las *intenciones* de la señora Johnson las que le permitieron experimentar este resultado particular, en oposición a cualquiera de los otros posibles resultados.

¿Esto puede ser cierto? Y si es así, ¿cómo funciona?

Esa es la pregunta que la Teología Pensante se formula. Pensante es un nombre que yo le he dado a esa forma de teología que busca entender *cómo* suceden las cosas, no solo *por qué* lo hacen.

Para unos es suficiente saber que la *razón* por la cual la señora Johnson obtuvo la casa en un día se debe a que tenía *fe*; para otros, hay una inquietud más profunda: ¿cómo *funciona* la fe? Exactamente, ¿*cómo* es que produce el resultado deseado?

Conversaciones con Dios se ha convertido en un libro increíblemente popular, traducido a veintisiete idiomas y leído por millones en todo el mundo, porque explica —quizá por primera vez en una forma que la persona promedio puede entender— el Cómo de la Vida.

Y todos los libros *Con Dios* que siguieron, incluyendo *Amistad con Dios* y *Comunión con Dios*, han expandido y elaborado este tema para que ahora conozcamos los *mecanismos* a través de los cuales Dios entra en nuestras vidas y ejecuta milagros.

Y a estos instantes en los que Dios interviene los he llamado Momentos de Gracia.

Por supuesto que en el sentido estricto de la expresión, Dios realmente "no entra en nuestras vidas". Si eso fuera cierto, concluiríamos que hay momentos en los que Dios *no* está en nuestras vidas. Y eso es *falso*. No es cierto por la sencilla razón de que no es posible. La única manera en que podría ser posible sería si Dios y nosotros estuviéramos separados. Si Dios está separado, entonces podría haber momentos en los que Dios está "con nosotros" y momentos en los que no lo está.

Aquello que *provocara* que Él estuviera "con nosotros" o "no" podría convertirse en tema de religiones y sistemas de fe completos. Podríamos dedicar vidas enteras y muchos libros a esta pregunta elemental: ¿qué atrae a Dios a nuestras vidas?

Pero ¿qué tal si Dios estuviera ya en nuestras vidas? ¿Qué tal si Dios jamás *desapareciera*? ¿Qué tal si Dios no pudiera irse aunque Ella* así lo deseara, puesto que Dios y nosotros somos Uno? ¿Qué tal si eso fuera cierto?

Entre otras cosas, esto plantearía otra pregunta básica. No la de qué hace que Dios aparezca en nuestras vidas, sino *¿qué vamos a hacer con Él* ahora que finalmente nos hemos dado cuenta de que Ella* siempre ha estado ahí?*

Es de esta manera como *Conversaciones con Dios* altera el orden de las cosas, pues al voltear la pregunta, acabamos recibiendo respuestas totalmente distintas.

Si Dios y la señora Johnson son Uno, entonces el punto no es su petición a Dios para encontrar una casa en un día, sino su *invocación* de ese resultado.

Esto se hace a través del mecanismo de la intención.

¿Puede alguien dudar que la *intención* de la señora Johnson de encontrar y conseguir una casa en veinticuatro horas haya sido lo que produjo tal resultado sin importar lo posible o imposible del asunto?

Muchas personas han contemplado el desvanecimiento de sus sueños debido a que desconocen, o no entienden, lo que planteamos aquí. Han aceptado lo que alguien más dijo sobre lo que es posible o imposible y, en consecuencia, confirmado la aniquilación de sus sueños. Sin embargo, establecer una firme intención puede *revertir* ese proceso de aniquilación a través de un milagroso proceso de inversión al que yo llamo *de-terminación*.

La de-terminación, en efecto, "termina la terminación". Pone un alto a la detención, concluye la conclusión y le permite a cualquiera empezar de nuevo, comenzar otra vez. En algunos círculos cristianos a eso se le llama volver a nacer. *Conversaciones con Dios* le llama a esto el milagro de la re-creación, a través del cual nos reinventamos como una versión superior de Quiénes Somos.

---

* A lo largo del libro, el autor se refiere a Dios como Él o Ella de manera indistinta. (N. de la T.)

Jamás subestimes el poder de la determinación. Ese es el recordatorio que nos hace la historia de Bill Tucker y los Johnson.

Los aventones de la vida

*D*avid Daniel es un ferviente jugador de póquer, así es que conoce todo sobre las probabilidades. La experiencia que tuvo cuando era estudiante universitario a principios de los setenta le enseñó, a un nivel visceral, que es improbable que exista eso que llamamos "coincidencia".

David estaba a punto de empezar su primer año en la Universidad del Sur de California, y como miembro del programa de alumnos sobresalientes, con una especialidad en Relaciones Internacionales, había sido invitado a pasar un año estudiando en la Universidad de Túnez, localizada en la capital del país de África del Norte que lleva el mismo nombre.

Los padres de David lo habían alentado a viajar un poco alrededor de Europa antes de empezar el año escolar a mediados de septiembre. Sin embargo, era comprensible que se sintieran preocupados, pues David solo tenía diecinueve, y sus planes incluían un vuelo a París y un viaje por Francia antes de establecerse en Túnez.

El mismo David, aunque naturalmente emocionado, se sentía un poco nervioso por la partida. Aún no cumplía veinte y estaba por abrirse camino en una cultura ajena a la suya. *Mmmm*, pensaba, *esto podría ser una verdadera experiencia de aprendizaje... o un verdadero desastre.*

Cuando llegó al Aeropuerto Kennedy con su mochila en la espalda, el joven de coleta y *jeans* parchados se sintió ávido, pero con poca experiencia para trasladarse a *cualquier lugar* que no fuera su casa. *¿Me irá bien?* Se preguntaba. *¡Dios mío, París! ¡Y Túnez! ¿Qué voy a hacer cuando llegue? ¡Ni siquiera puedo hablar el idioma! Y no conozco a nadie.*

Un tanto nervioso por sus dudas de último minuto, David se descubrió vagando por el aeropuerto y tratando de alejar su mente de pensamientos negativos. Sin embargo, debido a que su itinerario le hizo llegar muchas horas antes del vuelo nocturno a París, tenía tiempo de sobra para preocuparse.

Fue así que decidió dar una vuelta por Manhattan para aprovechar ese rato conociendo los alrededores. Por querer ahorrar dinero, pensó en pedir aventón. Él jamás había estado en Nueva York, *y sería una buena aventura vespertina*, se dijo a sí mismo, creyendo facilísimo conseguir que lo llevaran.

Estaba equivocado.

Los autos pasaban a toda velocidad, ignorando su pulgar levantado. *Caramba, si ni siquiera puedo hacerla en Nueva York*, David se reprendió a sí mismo, *¿cómo voy a hacerla en Francia?*

Estaba a punto de abandonar la idea sobre su paseo en Manhattan cuando un vehículo disminuyó la velocidad para pararse frente a él.

—¿A dónde te diriges, hijo? —le preguntó un hombre agradable tras el volante.

—A Manhattan —contestó David con esperanza—. Quiero conocer un poco el lugar antes de volar a París esta noche.

—No voy a Manhattan, pero puedo acercarte un poco y bajarte donde puedas conseguir un aventón a la ciudad.

Con gran deleite, David se subió de un brinco. *Las cosas parecen tomar un buen rumbo*, se dijo con una sonrisa.

Estaba equivocado.

David se sorprendió cuando su anfitrión se estacionó detrás de un camellón a mitad de la autopista y le dijo que se bajara.

—¿Qué pasa? —preguntó nervioso.

—Aquí es lo más lejos que puedo llevarte —dijo entonces el conductor, respondiendo a la atónita expresión de David—. Te dije que no iba hasta allá.

Al menos había cuatro opciones de salidas que convergían en este lugar, y todas iban en distintas direcciones hacia la ciudad. David no tenía idea de dónde estaba, ni cómo llegar a algún sitio. Y en este estado de momentánea parálisis, ¡ni siquiera tuvo el aplomo de preguntarle al conductor! Lo único que pudo escuchar fue:

—Hijo, debes bajarte.

Le dio las gracias al hombre y se bajó para pisar el camellón en medio de la autopista.

En este momento la desesperación se apoderó de David, mientras veía que los vehículos de la hora pico pasaban a toda velocidad. *Jamás conseguiré un aventón aquí*, pensó abatido.

Incluso si alguien *se detuviera*, lo que era muy poco probable, esa persona tendría que dirigirse a Manhattan, ¡y no a cualquier otra de las salidas! Caminar a un lugar más conveniente, o de regreso al aeropuerto, no era una opción. Él estaba justo en medio de varias autopistas, y *de un problemón*, pensó para sí.

David se colocó la mochila al hombro y paró su pulgar con resignación.

Cientos de autos pasaron, así como un par de horas. David observaba los rostros concentrados de los conductores que se abrían camino hacia sus destinos. Casi nadie lo notaba y, cuando alguien lo hacía, era con una mirada perpleja, o peor: con una sonrisa burlona. David creía saber lo que la gente se preguntaba: *¿Creerá realmente este chico que va a conseguir aventón aquí?*

David no podía más que estar de acuerdo. Sus posibilidades, calculó, eran casi nulas.

Concibiendo una estrategia sobre lo que debía hacer en caso de que nadie —*jamás*— se detuviera, decidió que cuando la hora pico terminara, podría atravesar la intersección y caminar hasta la parada de un autobús en algún lugar. Empezó a preocuparse, pues si algo no sucedía pronto, no tendría tiempo para ir a Manhattan y habría de regresar al aeropuerto para tomar su vuelo a París (y necesitaría suerte para no perderlo).

Ahora su pensamiento empezó a llenarse de negatividad. *Estoy bastante expuesto aquí*, pensaba. *Puede pasar cualquier cosa, incluso si alguna patrulla se detiene, aunque ya estuviera seguro, probablemente tendría problemas. Está prohibido pedir aventón en las carreteras, y quizá pierda mi vuelo si la policía me arresta...*

En medio de la reflexión en torno a estos oscuros escenarios, David se detuvo. *¡Un momento, esto es una locura! Nada malo va a suceder.* Negó con la cabeza, desaprobando su preocupación. *Debo pensar positivamente.*

Unos cuantos minutos después, observó una camioneta último modelo que se detenía un poco, y al conductor con cara de preocupación. ¡Después vio con incredulidad que el vehículo en realidad se estacionaba, mientras la persona tras el volante le hacía una seña para que subiera!

Gracias, gracias, gracias, repitió David entre dientes mientras tomaba su mochila y corría hacia la puerta abierta.

—¿Va a Manhattan? —fue lo primero que preguntó David, pues ahora sabía que esta era una pregunta importante que debía contestarse antes de que el auto arrancara. ¡No quería encontrarse de nuevo en un camellón en medio de otro nudo imposible de vías!

El conductor vio a David con sus ojos marrones y profundos.

—Sí, Manhattan —contestó con un acento suave.

Avanzaron poco menos de un kilómetro antes de volver a hablar. David le preguntó:

—¿De dónde es usted?

—Soy de Túnez, en el norte de África.

¿Qué? Si David hubiera podido meter el freno, lo habría hecho.

—¿Es de T-Túnez? —tartamudeó.

—Sí, pero ha pasado mucho tiempo desde que estuve en casa, en realidad viví en París durante los últimos años, acabo de mudarme a Nueva York este mes. Soy doctor, y tengo mi consultorio en Manhattan.

—¿Vivió en París? ¿Es de Túnez y estuvo viviendo en París?

David no podía creer lo que escuchaba.

—¡Voy de camino a Túnez, y me quedaré en París durante un mes!

Los ojos del hombre se abrieron ante la sorpresa, mientras esbozaba una sonrisa.

—Bueno, pues parece que elegí al pasajero correcto, quizá pueda ayudarte con cuestiones de tu viaje.

Durante los cuarenta y cinco minutos de camino a Manhattan, David y el doctor se entregaron a una animada discusión en torno a la gente y lugares que serían parte de la vida de David durante el siguiente año. El conductor le dio a David los nombres de algunos amigos cercanos y de varios conocidos. Ellos podrían orientarlo en cuanto a los mejores sitios para visitar y cosas que ver, los restaurantes poco conocidos y galerías, posibles departamentos para rentar, personajes interesantes; en fin, todas las cosas que David necesitaba saber para hacer disfrutable su viaje a Francia, y más productivo que el de un simple turista.

Al día siguiente, poco después de aterrizar en el Aeropuerto Internacional Charles de Gaulle, David empezó a cosechar los beneficios de su aventón neoyorquino. Una pareja terminó invitándolo a vivir en un cuarto desocupado de su casa, y el nombre y teléfono en París de esa pareja los había conseguido de camino a Manhattan aquel día.

Pocas semanas después, los contactos en Túnez le permitieron al joven familiarizarse con la universidad y sentirse cómodo —mucho antes de lo que pensó— en aquella ciudad remota y culturalmente lejana. David pudo frecuentar lugares y estudiar y trabajar al mismo tiempo, así es que tuvo pocas preocupaciones. Toda su experiencia salió de maravilla.

Sin embargo, la vida de David —su sentido de confianza, las oportunidades futuras que surgieron a partir de esa experiencia— *habría* sido totalmente distinta si aquella mañana de verano en Nueva York un hombre amable, un hombre *particular*, no se hubiera parado por un *hippie* desesperado en busca de aventón en medio de la autopista.

David jamás volvió a ver a su benefactor. Durante semanas escribió cartas para agradecerle por sus amables presentaciones, pero jamás fueron respondidas. Entonces David comprendió que esa azarosa ayuda había cumplido un propósito mayor en su vida, y no tenía sentido seguir buscando al doctor. El encuentro importante se dio y había establecido el curso del año de David como estudiante en el extranjero.

En la actualidad, David narra con frecuencia la historia. Algunas personas le dan poca importancia al contexto cósmico con el cual él enmarca su experiencia, pero nadie ha dejado de sorprenderse por la sincronicidad absoluta de lo que ocurrió en aquella autopista.

—Como más me sirvió —dice David—, aparte del evidente regalo de hacer mi viaje más disfrutable, fue para mostrarme inequívocamente que hay momentos en la vida en los que suceden cosas maravillosas, y que no deben pasar inadvertidos ni dejar de examinarse.

"Hay un propósito y un significado en todo. Tenemos la oportunidad única de poner atención (o no), y diseñar el curso de nuestras vidas."

Hace unos años, el extraordinario profesor Werner Erhard, creador de los entrenamientos EST,* pronunció algo que contiene muchísima sabiduría; dijo:

La vida se resuelve en el proceso de la Vida misma.

Esas son las once palabras más reconfortantes que jamás he escuchado, y me han permitido *relajarme* ante la vida y darle una oportunidad.

Mi propia rearticulación de esta sabiduría se resume en cinco palabras: *Dios está de nuestro lado.*

Esta firme creencia se convirtió en la base de todo un libro, *Amistad con Dios*, que produje en 1999, y es el cimiento de toda mi filosofía y comprensión de la vida.

---

* Sistema sobre el potencial humano fundado por Werner Erhard en 1971. Habla de la perfección del hombre que, a semejanza de Dios, puede crear su propia realidad. (N. de la T.)

Creo que Dios demuestra Su "complicidad" cada minuto de cada día (y algunos días de maneras más dramáticas que otros). La historia de David Daniel es un poderoso ejemplo.

Yo creo que todos nosotros tenemos historias como esta, y creo que todos nosotros podemos identificar en nuestra vida momentos de sorprendente sincronicidad, casualidad, coincidencia, suerte —o como queramos llamarle—. Yo los llamo Momentos de Gracia y forman una categoría particular dentro de una colección mayor de instantes divinos que nos suceden a todos, pero solo unos cuantos los notan de manera consciente.

Cuando reconocemos estos Momentos de Gracia por lo que realmente son, algo sorprendente sucede: empiezan a multiplicarse. Y esto pasa porque entre más sabemos lo que sucede, más sabemos lo que sucede.

Déjenme ver si puedo aclarar este punto.

Estar alerta es la clave de la conciencia, y la conciencia es la clave de la creación. Al volvernos profundamente conscientes, nos volvemos más profundamente conscientes. La conciencia es algo que crece, que se alimenta de sí misma. Al adquirir Conciencia, nos damos cuenta de que estamos conscientes. Entonces, uno se vuelve consciente de que está consciente, de que está consciente, y así sucesivamente, hasta alcanzar el nivel más alto de Conciencia Total.

Cuando adquirimos Conciencia de que hay tales cosas en la vida como Momentos de Gracia, empezamos a reconocerlas rápidamente. Y al reconocerlas rápidamente nos beneficiamos de ellas con mayor facilidad. Para el observador casual parecería que las estamos creando, y en un sentido lo *estamos* haciendo, si aceptamos la definición de "creación" como el acto de ver algo que ya está ahí y sacar provecho.

En realidad no tenemos que crear nada, simplemente tenemos que usar en nuestro beneficio lo que ya ha sido creado. *Y saber con certeza que podemos hacerlo.*

Ahora bien, aquí es donde las fronteras empiezan a borrarse, y aunque no desaparecen por completo, ciertamente parecen hacerlo.

En el caso del señor y la señora Johnson, dijimos que la *intención* fue lo que produjo el espacio para que ocurriera el milagro de encontrar y comprar una casa en veinticuatro horas, prácticamente sin dinero. Después nos preguntamos, ¿qué produjo el milagro? ¿El milagro ya estaba ahí antes de que la señora Johnson creyera en él, o en cierto sentido, ella lo *echó a andar* mediante su fe?

Si con anterioridad afirmamos que "tan solo tenemos que usar en nuestro beneficio todo lo que ya ha sido creado", la pregunta queda respondida por la sugerencia de que el milagro ya estaba ahí, y todo lo que la señora Johnson tuvo que hacer fue *verlo*, supuestamente, a través de su fe.

Sin embargo, la fe es algo engañoso, pues es muy difícil para muchas personas creer en algo en lo que "no creen". Si algo es "increíble", ¿cómo es que una persona se desplaza al espacio de creerlo? ¿Cómo es que una persona "adquiere la fe"?

Mi conclusión es que la *fe* se adquiere de tres maneras: notándola, experimentándola y decidiéndola. Podemos *notar* cómo funcionan las cosas para otras personas (¡leyendo libros como este!); podemos *experimentar* cómo funcionan las cosas (mediante vivencias como la de David Daniel); o podemos establecer firmemente nuestra *intención* antes de tiempo, sobre cómo se desenvolverán las cosas (la ruta que tomó la señora Johnson).

De hecho, esto puede convertirse en un proceso escalonado que se divide en tres partes. Primero escuchas sobre los milagros de otras personas. Después, al escuchar de ellos, despiertas tu conciencia y empiezas a notar que también recibes milagros en *tu* vida. Finalmente, después de recibir una cantidad suficiente de ellos, observas cuáles son comunes, ¡y empiezas a *esperarlos* con total certeza —e incluso *solicitarlos*— al establecer tu intención!

Resulta curioso que no tienen que darse todos estos pasos, y tampoco deben suceder en ese orden. Uno puede saltarse un paso, o invertir la secuencia.

Lo que ocurrió para David Daniel ese día, cuando visitó por primera vez la ciudad de Nueva York siendo estudiante universitario, fue un momento que podía "parecer" como un gran inconveniente, si no un desastre. En realidad, constituyó un Momento de Gracia, un momento de Intervención Divina del que solo podía desprenderse algo benéfico.

Su poder no se redujo a un resultado a corto plazo en la vida de David, sino que despertó la *fe* y el *entendimiento* que impregnaron su vida a largo plazo.

David ahora sabe, y lo ha sabido desde ese día de su juventud, que la vida se resuelve en el proceso de la vida misma, y que Dios está de nuestro lado. No tiene dudas al respecto porque tuvo una *experiencia* directa de ello, y ahora entiende el Proceso de la Existencia y cómo funciona. David pasó directamente al segundo paso.

La belleza del "sistema" consiste en que, cuando David adquirió conciencia de él, se produjeron más incidentes milagrosos. Su entendimiento le permitió ver las cosas de manera distinta y *eso*, a su vez, *experimentarlas* de forma diferente. Y *esperarlas*. Con esto, David puede moverse al tercer paso.

Pero antes del *Milagro del aventón* de David, él estaba muy preocupado preguntándose cómo podría salir de ese lío. Por otro lado, antes del Milagro de la Casa, la señora Johnson no tenía preocupación alguna (aunque su milagro todavía no se produjera).

¿Qué hizo la diferencia? La *intención*. La señora Johnson pasó en forma directa al paso tres. No conocemos mucho de su historia como para saber si ella saltó de golpe a ese paso o llegó a través del primero y el segundo. Y no importa, pues lo significativo aquí es que ella estableció su objetivo y jamás vaciló. Amy jamás se permitió caer en un pensamiento negativo, algo que suele ocurrir fácilmente cuando las cosas no se ven bien. Jamás se permitió relajar su intención rindiéndose ante la aparente imposibilidad. Al no relajar su intención, ella mantuvo todo *en tensión*.

Y aquí te cuento otro secreto de la vida. Si se usa adecuadamente la tensión es buena. Estoy hablando de lo que los psicólogos llaman "tensión creativa". De hecho, eso es *exactamente* de lo que estoy hablando, de la tensión que *crea*.

Cuando las cosas se mantienen en tensión creativa, las fuerzas energéticas opuestas se utilizan para mantener todo en su lugar. Esta es la forma en la que uno mantiene el equilibrio cuando a todos les parece como si el mundo se estuviera desmoronando, como si no pudiera funcionar, como si no tuviera sentido intentarlo.

Es cuando uno *libera* esa tensión que las cosas se caen. Es cuando uno suelta —como niños que, después de jalar la cuerda desde extremos opuestos, se rindieran— que todo se viene abajo.

El truco consiste en mantener la tensión hasta que la fuerza opuesta a ti se aleje definitivamente. Entonces las cosas no se desmoronan, *sino que caen en su lugar.*

Esto es exactamente lo que les sucedió al señor y la señora Johnson.

David Daniel fue afortunado, pues su pensamiento negativo en el camellón fue breve y no generó suficiente energía como para terminar su sueño de llegar a Manhattan y volver a tiempo al aeropuerto para su vuelo.

Él detuvo su mente justo a tiempo y "paró de parar". Él paró de parar la llegada de beneficios, y aunque casi aniquiló su propio bien, revirtió el curso a través del proceso que yo he llamado determinación.

¿Y quién iba a decirlo? ¡Sucedió un milagro! De la nada apareció no solo alguien que se dirigía a Manhattan, sino la persona más adecuada y perfecta que uno pudiera imaginar para semejante situación.

Hoy en día, David afirma que su vida ha estado "llena de tales incidentes"; esto sin duda es cierto, pues lo que tú piensas es lo que experimentas. Y si lo que piensas es que la circunstancia presente —la que sea— te llevará finalmente a tu mayor bien, seguro que lo hará.

No puede ser de otra manera, pues tu experiencia no es algo que esté sucediendo, es algo que tú *piensas* que está sucediendo. Es decir, no es algo que "pase", ¡es algo que tú *sientes* acerca de lo que está pasando!

Lo que tú sientes sobre lo que está pasando afuera es lo que está pasando adentro: en tu corazón, tu alma y tu mente. Ese sentimiento crea un registro en los tres, y ese registro es lo que tú llamas *experiencia*.

Dos personas pueden escuchar la misma pieza musical y tener experiencias muy distintas con ella. Pasa lo mismo con la comida, el sexo o cualquier otra cosa.

Si cada vez que te encuentras en un predicamento (como David parecía estarlo en aquel camellón en medio de la autopista) estás *consciente* de que te enfrentas a una oportunidad, y no a un obstáculo, evitarás el pensamiento negativo y cambiará radicalmente la percepción de tu circunstancia.

Ese es el punto.

Y lo más importante es que ni siquiera necesitas saber que algo bueno está ocurriendo para que así sea: *sucede, lo sepas o no*. Sin embargo, si deseas *experimentarlo*, es necesario que lo *veas*.

Eso es la conciencia y lo que significa.

El truco en la vida consiste en observar —simplemente *observar*— lo que está sucediendo, sin juicio. No lo etiquetes de una u otra manera, *y no caigas en pensamientos negativos*. Solo conviértete en un observador objetivo.

Un conductor me acaba de dejar en medio de un sistema de autopistas en la ciudad de Nueva York.

En la historia de David Daniel, eso era lo cierto, y cualquier otro pensamiento que el joven tuviera al respecto establecía un juicio. Por fortuna, a Dios no le importa si juzgamos las cosas, y siempre se encarga de que todo lo que ocurra sea en nuestro beneficio. La única pregunta, entonces, no es si un acontecimiento particular nos *beneficia, sino cuánto tiempo nos tomará notarlo*.

Entre más rápido nos demos cuenta de que *todas* las circunstancias son benéficas, más rápido las experimentaremos de esa manera.

Lee lo que *Conversaciones con Dios II* tiene que decir en torno a esto:

Debido a que es Mi voluntad que sepas y experimentes Quién Eres, te permito atraer a tu vida cualquier acontecimiento o experiencia que elijas crear para lograrlo.

Otros Jugadores en el Juego Universal se reúnen contigo de vez en vez, ya sea bajo la forma de Encuentros Breves, Participantes Periféricos, Compañeros de Equipo Temporales, Presencias Duraderas, Familiares, Seres Muy Queridos o Compañeros de Vida.

Estas almas son atraídas a ti por ti. Y tú eres atraído a ellos por ellos. Es una experiencia mutuamente creativa que expresa las elecciones y los deseos de ambos.

Nadie llega a ti por accidente.

No hay tal cosa como la coincidencia.

Nada ocurre al azar.

La vida no es producto de la casualidad.

Los acontecimientos, como las personas, son atraídos a ti por ti, para tus propios propósitos...

Cuando entendemos esto, transformamos nuestras vidas o *parece* que lo hacemos. En realidad, todo lo que hacemos es verlas como en verdad son. De la misma manera, es imposible transformarnos a nosotros mismos. Solo es posible conocernos o desconocernos como Somos Realmente, y al hacerlo, transformamos nuestra *experiencia*.

Yo sé que la vida se resuelve en el proceso de la Vida Misma, y sé que Dios está de mi lado. Eso mantiene mi tensión creativa en su lugar. La línea entre el Yo Positivo y el Yo Negativo permanece tensa, hasta que el Yo Negativo se cansa tanto de jalar que termina yéndose. ¡Entonces todo lo que esa mitad de mí afirmaba como imposible cae en su lugar!

Ahora que yo sé este truco, experimento mi vida libre de preocupaciones y veo que todas las cosas conducen al bien. Y esta verdad me ha liberado, pues ya no tengo frustración, enojo ni ansiedad.

Si vuelvo a caer en esas experiencias es porque he olvidado Quién Soy Realmente y Lo Que Es. He olvidado que la vida se resuelve en el proceso de la Vida Misma y que Dios está de mi lado.

He dejado de prestar atención, es decir, de estar *en tensión*. Me relajo ante el pensamiento negativo.

He olvidado que mi aventón está en camino, e imagino que estoy aislado en un camellón en medio de la vorágine.

4

Los milagros sí ocurren

*F*red Ruth estaba sentado en una silla esperando morir; deseaba un trago.

—No necesito a ningún maldito doctor para que me diga que estoy muriendo —rezongó—. Todo el mundo sabe que soy el siguiente en la fila.

Apenas ayer el cardiólogo había hecho unas cuantas llamadas, diciéndoles a la exesposa y a los hijos de Fred que era momento de visitar a su padre para despedirse. Dos de sus hijos fueron a visitarlo, pero no se quedaron mucho tiempo. Fred no había sido cortés con ellos en épocas recientes, en especial con su hijastro. Si la relación no era buena cuando estaba sano, mucho menos ahora.

El problema era su corazón, que había fallado desde 1975 cuando Fred tuvo el primer infarto serio. Aunque solo tenía treinta y ocho años, no se sorprendió. Su madre y su padre habían muerto de ataques al corazón, perdió a dos hermanos por enfermedades cardiacas, su hermana había padecido una grave diabetes y finalmente murió el año anterior de un infarto a los cuarenta y cuatro años.

El mismo Fred se sometió a una cirugía con *bypass* dos veces en los últimos seis años. Aunque no había trabajado en mucho tiempo, no extrañaba demasiado su ocupación. Era muy estresante ser gerente de una compañía que fabricaba computadoras, y tal vez esa situación exacerbó sus problemas cardiacos. *¡Ya era hora!*, fue lo que pensó cuando dejó de trabajar.

—Baja el volumen —le ladró a Anne, quien estaba viendo la televisión.

¿Qué no podía entender lo enfermo que estaba?

Fred sabía que su personalidad había cambiado, pero parecía no poder hacer nada al respecto. Simplemente se estaba volviendo muy irritable —de pocas pulgas y cascarrabias—, y no podía hacerse nada al respecto.

—Dios mío, odio estar sentado aquí —masculló Fred mientras intentaba cambiar de posición en el sillón reclinable para mirar por la ventana. Le dolía moverse; tenía tan poco oxígeno en su sangre que todas sus extremidades y su pecho le producían un fuerte calambre. Rara vez se movía de la silla, solo lo hacía para ir al baño.

Todo el mundo de Fred se había convertido gradualmente en esa habitación con forma de rebanada de pastel de veintisiete metros cuadrados. No podía salir porque el edificio era de dos pisos, y eso significaba subir escaleras; solo observaba el transcurrir de la existencia a través de la ventana. De vez en cuando una ambulancia aullaba por la calle y Fred se preguntaba si él sería el siguiente en subir al vehículo.

Muy pocos asuntos ocupaban la mente de este hombre pues, entre otras cosas, había perdido interés en la televisión; esas comedias le parecían tan estúpidas. Últimamente se había dedicado a leer novelas de Stephen King, era la única lectura que captaba su atención. Anne (su nombre completo era Roseanna, pero Fred siempre usaba el diminutivo como forma de cariño) intentó convencerlo de leer algunos libros espirituales, pero a él todo eso le parecía una sarta de sandeces.

A Fred nunca le había llamado la atención Dios ni la religión, y el hecho de que estuviera muriendo no significaba que ahora fuese a cambiar. Él fue a la iglesia unas cuantas veces de niño, pero nadie de su familia lo había acompañado, y después de un tiempo dejó de tener sentido. *Ciertamente, no mejoró mi vida cuando estuve yendo*, pensó. Nada parecía mejorar su vida... excepto quizás un trago de vez en cuando.

—¿Quieres algo de comer antes de que me vaya a mi reunión? —preguntó Anne, apareciendo en la sala con el abrigo puesto.

—¿Qué reunión? No me dijiste que irías a una reunión, y no quiero estar solo. No quiero comida, solo dame un trago.

—Fred, no deberías estar bebiendo. No es bueno para ti —Anne dijo con cautela.

—¿Qué me va a hacer? ¿Matarme? —fue la ruda respuesta de Fred.

Era invierno en Ohio, y el día, aunque frío, permaneció soleado hasta la tarde, cuando las nubes iniciaron su avanzada, dándole al cielo un aspecto ominoso. Fred observó que los árboles empezaban a sacudirse con fuerza.

—El viento arrecia, habrá una tormenta. Esa es otra importante razón por la que no deberías salir esta noche.

Pero Anne ya se había quitado el abrigo.

Él se estiró para tomar el control remoto, pero se dio cuenta de que ni siquiera tenía la energía para usarlo. Mientras se inclinaba en su silla, escuchando el viento, Fred perdió la noción del tiempo. Pronto escuchó la televisión, así es que supo que Anne la encendió de nuevo; él solo se sentó en su silla con los ojos cerrados, sintiendo el dolor en su cuerpo. Hubo un trueno, y el viento empezó a soplar bastante fuerte, pero Fred no se movió.

Quizá todo esto acabe pronto, pensó con un suspiro. *No le veo el punto a tener que seguir así, con este dolor. Me gustaría que todo esto terminara.*

Y después sucedió. Un enorme *¡BUM!,* tan recio que sacudió la habitación. De inmediato, frente a sus párpados cerrados, Fred pudo distinguir un relámpago. Ante la sorpresa, rápido abrió los ojos para ver ante sí una brillante bola de luz del tamaño de una pelota de basquetbol, suspendida justo arriba de la televisión.

Fred parpadeó. El brillo lastimaba sus ojos, pero se sintió orillado a mirar más de cerca. La bola tenía un centro color naranja encendido, con un aura blanca que resplandecía a su alrededor, y una cola como la de un cometa. Fred no podía hablar, su cerebro parecía incapaz de digerir esto. Todo lo que pudo hacer fue observar la brillante y extraña pelota. Después, estalló justo ahí, ante sus ojos. Solamente… *reventó.* No emitió sonido alguno y en realidad no fue una explosión, pero parecía como si la pelota hubiera expulsado partículas pequeñas de luz hacia la habitación, y hacia Fred.

El hombre percibió que una singular oleada de energía entraba en su pecho. En ese instante se sintió caliente y empezó a experimentar un hormigueo en todo el cuerpo.

Hasta ese momento, Fred por fin pudo emitir una palabra, y volteó a ver a Anne sentada con la boca abierta en el sillón.

—¿Viste eso, cierto? —Fred quería asegurarse de no estar soñando.

Su esposa asintió pasmada.

—¿Estamos muertos?

—No lo sé, pero si nos movemos al otro lado de la habitación y al voltear vemos las sillas vacías, entonces sabremos que no estamos muertos —dijo Fred, con algo de extrañeza por estar haciendo un chiste en un momento así.

Anne y Fred caminaron vacilantes a la pared opuesta y voltearon a ver. No había cuerpos sentados en sus sillas, y Fred dio un suspiro profundo.

—Bien, pues, supongo que seguimos vivos. Creo que iré afuera y veré si alguien más vio algo.

Antes de que Anne pudiera decir una palabra, Fred había salido del departamento, al parecer sin pensarlo dos veces. Descendió aprisa el tramo de escaleras y salió para encontrarse con que el viento esparció hojas y ramas por la banqueta. Al caminar por la cuadra para verificar si el edificio había sufrido algún daño, pudo escuchar sirenas a lo lejos. Dos hombres estaban en la calle y Fred se acercó a ellos.

—¡Qué tormenta! —dijo.

—Sí —dijo uno de los hombres, y después señaló las ventanas oscuras a un par de cuadras de su esquina—. Parece que hay algunos apagones hacia allá.

Fred pensó que debía regresar para ver cómo estaba Anne. Probablemente tenía mucho miedo, si se sentía como él. Cuando atravesó la puerta, vio que Anne estaba parada ahí, pero no se veía atemorizada, sino sorprendida.

—¿Sabes lo que acabas de hacer? ¿Te das cuenta de lo que acabas de hacer? —dijo ella con incredulidad.

Fred se detuvo en el acto. Dirigió la mirada a su frágil cuerpo y después a su esposa. ¿Qué le había pasado? Poco a poco cobró conciencia de que acababa de bajar las escaleras, caminar por la cuadra y subir las escaleras de nuevo. ¡Y ni siquiera le faltaba el aliento! Solo unos minutos antes no era capaz de caminar hasta el baño sin un increíble dolor, mucho menos subir por las escaleras. Ahora no sentía nada de incomodidad. De hecho, ¡se sentía de maravilla! ¿Qué le había pasado?

—Voy a hacerlo otra vez —dijo, sin poder creer nada de esto.

Fred volvió a bajar y caminó por la cuadra dos veces más.

—Me siento increíblemente bien —le dijo a Anne cuando regresó—. El dolor desapareció.

Llamó a su cardiólogo, pero cuando el doctor escuchó su historia, dijo que no quería hablar de ello. Entonces Fred telefoneó al doctor en la clínica de urgencias a la cual había acudido para el control de su dolor.

—Bueno, Fred, estoy acostumbrado a oír historias extrañas como la tuya —admitió el médico—, y he aprendido a no sorprenderme demasiado. Sal y disfruta tu vida, y si te vuelve a doler, regresa. Mientras tanto, no necesitas mi ayuda.

Fred *está* disfrutando su vida. Algo ha cambiado no solo en su cuerpo, sino también en su personalidad y en la forma como se siente respecto a la existencia. Ya no siente tanta necesidad de controlar a todos y cada situación. Ya no bebe, y sus hijos y amigos lo frecuentan más.

El milagro, como ellos eligieron llamarlo, ha acercado también a Anne y a Fred. Ahora la pareja platica mucho sobre cuestiones espirituales, comparte y analiza libros de superación personal cuyas filosofías integran abiertamente en su vida.

En un intento por aportar algo a su comunidad, Fred y Anne empezaron a escribir y distribuir un boletín espiritual con el fin de ofrecer un foro de discusión sobre temas relacionados con la mente, el cuerpo y el espíritu. Él ya no se pregunta tanto por qué recibió esta dramática curación, pues está seguro de que la razón es que todavía tenía algo que darle al mundo y, para hacerlo, debía curarse en cuerpo y alma.

Anne cree que el milagro fue para ambos.

Algunas veces nuestros Momentos de Gracia no son tan agraciados; algunas veces Dios interviene para darnos una verdadera sacudida; y, de vez en cuando, esas "sacudidas" adoptan la forma de experiencias que solo pueden entenderse como inexplicables. Cuando esto ocurre, nos preguntamos: ¿qué pasa aquí? ¿Qué está sucediendo?

En *Amistad con Dios* hay una declaración extraordinaria: *No te he dado sino milagros*.

Y lo que significa este mensaje es que podemos esperar milagros todos los días de nuestra vida, pero es necesario estar conscientes de que están ocurriendo para poder percibirlos (como el repentino descenso de la mariposa de Susan). De otra manera, lo más probable es que pasen inadvertidos, a menos que sea imposible ignorarlos, como descubrieron Fred y Anne Ruth.

No obstante, antes de explorar este milagro maravilloso, me gustaría hablar por un breve momento sobre algunas de las razones por las que los milagros de la curación pueden ser necesarios en primer lugar.

El hecho es que no nos cuidamos bien. No solo Fred, sino la mayoría de nosotros.

Conversaciones con Dios I hace esta observación:

> **Toda enfermedad es autocreada. Incluso los médicos convencionales empiezan a ver cómo las personas se enferman a sí mismas.**
>
> **La mayoría de la gente lo hace de manera inconsciente, entonces cuando tiene algún padecimiento no sabe qué lo originó. Las personas sienten como si algo les hubiera ocurrido, en lugar de ver que lo generaron ellas mismas.**

Esto sucede porque casi todas las personas deambulan en la vida —no solo en cuanto a las cuestiones de la salud y sus consecuencias— de manera inconsciente.

La gente fuma y se pregunta por qué le da cáncer.

La gente ingiere animales y grasa y se pregunta por qué se le tapan las arterias.

La gente permanece enojada toda su vida y se pregunta por qué le da un infarto.

La gente compite con los demás —sin piedad y con un estrés increíble— y se pregunta por qué sufre de embolias.

La verdad no tan obvia es que la mayoría de la gente muere de preocupación.

Y cinco libros y cinco años después, en *Comunión con Dios*, encontramos el siguiente comentario:

La salud es un anuncio del acuerdo entre tu cuerpo, tu mente y tu espíritu. Cuando careces de salud, revisa qué partes de ti no están de acuerdo. Quizá es tiempo de que dejes descansar al cuerpo, pero tu mente no sabe cómo. Quizá tu mente se regodea en pensamientos negativos y enojados, o preocupaciones sobre el mañana, y tu cuerpo no puede relajarse.

Tu cuerpo te demostrará la verdad, simplemente obsérvalo. Nota qué es lo que te está mostrando, escucha lo que te está diciendo.

Si escuchamos nuestros cuerpos, y los tratamos bien, podremos usarlos mucho mejor. El milagro por esperar todos los días será el que ejecutemos.

Así es que ahora hablemos de milagros.

*Un curso de milagros** dice que con los milagros no hay grados de dificultad. Esto es porque, para Dios, nada es difícil. Todas las cosas son posibles, y no solo posibles sino sencillas.

---

* Un libro cuyo objetivo es llevar al lector a la transformación espiritual. El programa describe una filosofía del perdón e incluye lecciones y aplicaciones para la vida cotidiana. (N. de la T.)

Sin embargo, si bien no hay grados de dificultad, existen distintos tipos y tamaños. Hay grandes y pequeños milagros. Hay milagros rápidos y los que toman un poco más de tiempo. Hay milagros que pueden ser explicados con sencillez y aquellos que no.

No todos los milagros parecen una curación. Fred Ruth fue curado, pero eso no debe hacer dudar a otra persona sobre el porqué su ser querido no obtuvo el "milagro" y murió. Incluso la agonía de una persona moribunda puede ser un milagro, aunque no sea la forma que quisiéramos que adoptara.

Mi definición de un milagro es *la cosa exactamente correcta que sucede de manera exactamente correcta en el momento exactamente correcto*. La historia al final del capítulo 1 sobre la partida del anciano señor Colson es un ejemplo maravilloso. También lo es, en una forma menos dramática pero no menos perfecta, la historia del hombre que le dio aventón a David Daniel, quien estaba parado en un camellón en medio de la autopista en la ciudad de Nueva York.

Cuando pido un milagro, para mí o para alguien más, he descubierto que me fortalece y consuela "dejar que Dios decida". Yo utilizo estas palabras: "Esto es lo que me gustaría, Dios, *pero solo si es para el mayor bien de todos los involucrados*. Por favor, Dios, haz lo que sea de mayor beneficio para todos. Sé que lo harás. Amén".

He utilizado esta oración durante veinticinco años, y ha sido tan reconfortante, pues es soltar y dejar que Dios decida.

He dicho antes que entre más nos demos cuenta de los milagros que suceden a diario en nuestras vidas, experimentaremos el acontecimiento de un mayor número de ellos. Sin embargo, en muchas ocasiones ignoramos los milagros, ya que no los consideramos "milagrosos".

Con frecuencia no es el acontecimiento lo milagroso, sino el momento en que sucede. El hecho puede explicarse con facilidad, pero el instante en que acaece es lo que lo hace inusual. Y, por tanto, quizá no lo llamemos milagro, sino más bien *sincronicidad*.

Con frecuencia, lo milagroso no es lo que pasó ni cuándo, sino cómo. Series de acontecimientos totalmente explicables pueden reunirse en una forma particular, casi quijotesca, para producir un resultado muy improbable. Quizá no llamemos a esto un milagro, sino más bien *casualidad*.

Algunas veces el suceso que está ocurriendo en nuestras vidas es plenamente explicable, y ni su momento ni la forma como sucede son inusuales. Sin embargo, el hecho de que *esté* sucediendo, y *a nosotros*, es abrumador. De todas maneras, quizá tampoco llamemos a *este* un milagro, sino más bien *suerte*.

Muchos seres humanos les pondrán cualquier nombre imaginable a los milagros de Dios, excepto "milagros de Dios", ya sea porque no creen en Dios o porque no creen en los milagros (o no creen que los milagros les puedan suceder a *ellos*). Y si no crees en algo, no podrás ver lo que en verdad es, porque hay que creer para ver, y no a la inversa.

Es por esta razón por la que quizá no *te contemplas* como Realmente Eres. Ni siquiera sabes que tu Ser es un milagro y, sin embargo, eso es lo que es: un milagro en constante construcción, pues no estás ni siquiera cerca de concluirte a ti mismo como producto, y Dios jamás termina contigo.

Eso es lo que Fred Ruth aprendió durante las semanas en que pensó que moriría. Dios tenía distintos planes para él e intentó todo para despertarlo. Él incluso hizo que Anne le llevara libros y le hablara sobre cuestiones espirituales, pero Fred nada más no escuchaba, así es que Dios dijo:

Bueeeeno… veamos qué podemos hacer para llamar la atención de este hombre…

Muchos de nosotros hemos tenido este tipo de avisos del universo, pero, como mencioné, los etiquetamos como cualquier cosa, excepto milagros:

Aberraciones psicológicas.

Experiencias paranormales.

Vuelos de nuestra imaginación.

Lo que sea y, sin embargo, son milagros.

¿Pero este tipo de cosas suceden realmente? ¿En verdad la gente ve bolas de luz frente a ella, o siente rayos de energía que recorren su cuerpo, o escucha voces gentiles que pronuncian grandes verdades? ¿Puede la gente experimentar curaciones espontáneas, o sentir repentinamente una Unidad Total con el universo, o tener conversaciones con Dios?

Pues... sí.

5

La voz sin voz

*D*espués de la publicación de *Conversaciones con Dios*, la pregunta que me hacían más que cualquier otra era:

—¿Por qué tú? ¿Por qué te eligió Dios a ti?

No puedo decirte cuántas veces he respondido a eso, pero siempre lo hago con las siguientes palabras:

—Dios *no* me eligió a mí. Dios elige a todos, Dios nos habla a todos nosotros, todo el tiempo. La pregunta no es a quién le habla Dios, sino quién escucha.

Dios nos habla de muchas maneras todos los días. Dios no conoce la vergüenza y utilizará cualquier mecanismo para comunicarse con nosotros. La letra de la siguiente canción que escuches en el radio, las alentadoras palabras de un amigo al que "por casualidad" te encontraste en la calle, un artículo en una vieja revista en el salón de belleza; y sí, es una voz que te habla en forma directa.

Pero tú debes *escuchar* y estar *consciente* de que Dios se comunica *directamente* contigo. Esto no es una esperanza, no es un deseo y no es una plegaria. Esto es una *realidad*. La comunicación de Dios llega a ti en Momentos de Gracia, pero puedes dejarlos pasar y ni siquiera saber que ocurrieron si no estás *consciente*.

Sigo enfatizando esto, una y otra vez, porque quiero que te sintonices con tu ser espiritual. Quiero que abras tus ojos y tus oídos. Quiero que despiertes tus sentidos, ¡y entres en razón respecto a Dios! *Porque los mensajes de Dios vienen a ti todo el tiempo.*

¿Necesitas más ejemplos? ¿Necesitas pruebas adicionales? Lee la siguiente historia, es sobre Doug Furbush, quien vive cerca de Atlanta, Georgia.

Mudarse a su casa recién construida fue un sueño hecho realidad para Doug y su familia. Doug había invertido largos días durante los fines de semana para instalar el sistema de aspersión en el jardín antes de que empezaran las lluvias de invierno.

Era un trabajo que disfrutaba: cavar la tierra, cortar el césped... Acumular un poco de tierra debajo de las uñas representaba un cambio agradable a su vida frente a una computadora, que era como pasaba la mayor parte del tiempo en su trabajo como consultor tecnológico.

El sol de septiembre calentaba su espalda mientras él encajaba la pala en la tierra.

—Voy a ir rápido al supermercado —le dijo su esposa desde la puerta trasera—. ¿Necesitas algo?

—¡No, gracias, querida! —gritó Doug.

—¡Está bien! ¡Regreso en diez minutos!

Doug se rió. *No necesito nada en el mundo.*

Tenía casi todo lo que quería. En ese momento, no parecía haber nada en el universo que quisiera modificar. La vida era buena. Todo era bueno: el sol en sus hombros, el golpeteo de la pala en la tierra, los pájaros canturreando desde las partes altas de un durazno en el jardín. Mientras cavaba, el placer de su trabajo recorría sus músculos. El sudor se derramaba entre sus omóplatos.

De repente, escuchó su nombre.

Doug.

El tono era urgente, pero era una voz que no reconocía, casi como... *una voz sin voz.*

Volteó a ver a su alrededor, pero el jardín estaba vacío. ¿Era su esposa? Debía ser, quizá había olvidado algo y le llamaba desde la entrada. Al no responderle, seguro ella misma fue a buscar lo que necesitaba.

Sí, eso pasó.

Encajando la pala en un montículo de tierra, Doug salió de la zanja y caminó hasta la entrada de la casa. No había nadie ahí, y el carro de su esposa no estaba en la cochera.

Mmm... quizá pasé mucho tiempo bajo el sol, pensó y volvió al jardín.

¡Doug!

La voz era más insistente esta vez.

¡Ve a buscar a Gael!

Ahora Doug se paró en seco. *¿Qué es esto? Escuché esa voz*, discutió consigo mismo. *¿Pero de dónde proviene? ¿Y qué es esto de Gael?*

Su hija había ido a patinar con sus amigos por la mañana y regresó más temprano de lo previsto. Al llegar, subió directamente a su habitación, y aunque parecía un poco callada, Doug estaba tan ocupado en su proyecto que no habló con ella. Después de todo, la chica tenía trece años. Y sonrió ante tal pensamiento, pues de seguro ella estaba en uno de sus cambios de *humor*.

Pero ahora, una sensación de terror se apoderó de él... como si algo estuviera mal. ¿Por qué estaba oyendo esa voz que lo empujaba a buscarla?

Todos estos pensamientos tomaron solo unos segundos. De manera abrupta, Doug se abrió paso agitadamente a través de la casa, sin detenerse para dejar en la entrada las botas llenas de lodo y subir las escaleras de dos en dos hasta el cuarto de Gael.

Como era usual, la puerta estaba cerrada, pues la recámara de su hija era el Santuario Interior. Doug entendía todo esto, pero algo se sentía diferente. No era como las otras veces que su hija se enclaustraba.

—¿Gael? —dijo, tocando la puerta.

Nada.

Ahora golpeó más fuerte.

—Gael, ¿estás ahí? ¿Estás bien?

Más silencio.

—¡Gael, abre la puerta!

Y entonces, se escuchó una voz disminuida, amortiguada.

—Déjame... en paz... papá.

Bueno, al menos estaba bien, pues hablaba, pero de ninguna manera se iría de ahí.

—Gael, abre esta puerta. *Ahora.*

Esperó un momento. *Tendré que derribarla*, pensó, pero entonces escuchó el clic del seguro.

Casi sin abrir la puerta, Gael se dio la vuelta y corrió hasta su cama, saltando debajo de las cobijas y cubriéndose la cabeza. Su forma temblorosa evidenció sus callados sollozos.

—¿Qué pasa, cariño? —preguntó Doug, haciéndose un espacio junto a ella—. ¿Te pasó algo malo?

El mismo balbuceo anterior:

—Déjame... sola... papá.

Los ojos de Doug examinaron perplejos la habitación, y fue entonces cuando vio sangre en el cobertor. Era solo una mancha, pero la vio, la tocó y se dio cuenta de que estaba húmeda.

—Gael, háblame. ¿Te hiciste daño?

Ella no respondió.

—Por favor, Gael, dime qué pasa. ¿Por qué hay sangre en tu cama?

Su hija se descubrió el rostro. Sus ojos estaban hinchados y rojos... y Doug se dio cuenta de inmediato que ella se había cortado las muñecas.

—Gael, nena, ¿qué has hecho? —Doug estaba desesperado. Tomó los brazos de su hija para ver más de cerca y constató que el daño no era muy serio. Las cortadas no fueron profundas, pero era notorio que sangraban. Doug corrió al baño para descubrir el instrumento con que se había cortado.

—¿Por qué hiciste esto, Gael? —le dijo—. ¿Qué te ha pasado?

Ahora ella sollozó abiertamente.

—Papi, lo siento tanto, pero ya no aguanto.

—¿Qué? ¿Aguantar *qué*?

—Todo el mundo es tan cruel conmigo; todos me odian.

—Ay, Gael... —interrumpió Doug, regresando a la cama con toallas—. Eso no es cierto.

—Por favor, papá, tú no sabes. No tengo amigos. Y la única persona que me agrada es tan mala conmigo. Un día le caigo bien, y al siguiente me odia, y habla de mí a mis espaldas.

Su padre la limpió suavemente con una toalla caliente.

—Hoy en la pista de patinar ella fue tan cruel… y creo que ya no lo puedo soportar. La semana pasada me invitó a su fiesta de cumpleaños, y me sentí feliz. Pero ahora, frente a todos, me dijo que, después de todo, había decidido no invitarme. Entonces quise morir.

—Pero, Gael, nada puede ser tan malo como para hacer esto. Tendrás amigos y habrá muchas fiestas de cumpleaños. Tú eres una persona amable y hermosa. Habrá mucha gente que quiera ser tu amiga —Doug le decía a su hija, tratando de convencerla—. Por favor, no puedes creer que tu vida no vale la pena. ¿Qué hay de nosotros, tus padres? Nosotros te queremos muchísimo.

En ese momento, se cerró de golpe la puerta principal.

—Ya llegué, queridos. ¿Quieren ver lo que compré? —gritó alegremente la esposa de Doug desde el vestíbulo.

"Hoooola. ¿Dónde están todos?"

—Ahí está tu mamá. Vamos a hablar con ella, ¿te parece? Querrá saber lo que está sucediendo contigo.

Doug había envuelto las heridas de Gael con las toallas.

—Necesitamos llevarte al hospital para que te cosan, cariño. Vamos.

Gael se levantó con renuencia y deslizó los pies en sus zapatos, conservando las toallas manchadas alrededor de sus muñecas. Doug volteó a ver el lodo que había embarrado en la alfombra rosa, pero desechó tan trivial pensamiento. *Qué tontería preocuparme por esto*, se recriminó, y con un suspiro de alivio elevó sus ojos para ofrecer una plegaria de gratitud. Después, al ver las pequeñas estrellas plateadas que Gael había pegado en el techo, se fue a otro lugar…

Esa voz, pensó, *era la voz de Dios*. Doug lo sabía con total certeza. Y esa voz que lo había sacado del jardín, le había salvado la vida a su hija. Odiaba pensar lo que hubiese sucedido si no va a buscarla en ese momento. Doug ahora sabía que ella necesitaba ayuda con desesperación, y él se aseguraría de que la obtuviera.

Las siguientes semanas fueron difíciles, pues hubo reuniones llenas de llanto con terapeutas y doctores. Sin embargo, los resultados fueron maravillosos, y Gael logró combatir su depresión y recuperar su voluntad de vivir. Recibió mucho amor de su familia, y las cosas mejoraron con sus amigos, como siempre sucede con el tiempo. Empezó a darse cuenta de que los momentos drásticos no siempre justifican las medidas drásticas.

Finalmente diagnosticaron a Gael con depresión clínica. Si no hubiera recibido tratamiento, Doug está convencido de que habría encontrado la manera de terminar su vida. Pero Dios tenía otros planes, y hoy Gael es una chica brillante y próspera de dieciocho años, que estudia oceanografía en la universidad.

¿Y Doug? Se siente muy agradecido y consciente, muy consciente de que Dios habla *directamente* con los seres humanos.

La mayoría de la gente cree que lo opuesto es lo cierto. Hemos sido entrenados por nuestra sociedad —incluyendo, de manera interesante, muchas de nuestras religiones— a negar la posibilidad de que Dios pueda hablar directamente con la gente común y corriente. Dios *ha* hablado con los seres humanos, se nos dice, pero no desde hace mucho mucho tiempo, y no con seres humanos ordinarios. A sus comunicaciones se les llama *revelaciones*, y se nos ha dicho que estas solo son para gente muy especial, bajo circunstancias muy especiales.

Si la gente "especial" que tenía estas experiencias escribía los detalles, a sus textos se les llamaba Sagradas Escrituras. Por el contrario, a lo que escribía cualquier "persona común" para compartir tales experiencias se le llamaba herejía.

Asimismo, entre más cercana sea la experiencia al momento presente, es más probable que sea descartada como algo ilusorio o producto de una alucinación. Entre más se aleje una experiencia en el tiempo, tendrá mayor probabilidad de ser honrada.

George Bernard Shaw dijo: *Toda gran verdad empieza como una blasfemia*.

Nuestro trabajo en esta cultura presente de negación *no* debe consistir en hacer a un lado la experiencia de nuestra propia alma, de nuestra propia mente y de nuestro propio cuerpo, sino en *declararla* de manera clara y audible, para que todos escuchemos. Eso no siempre es fácil.

Durante años, cuando la experiencia de mi alma, mente y cuerpo (y ni se diga de los tres) se contraponía a lo que me habían dicho que era posible o cierto, yo negaba esa vivencia. Mucha gente lo hace hasta que no puede más. Hasta que la evidencia es tan abrumadora, tan profunda o tan extraordinaria que la negación ya no es posible.

Bill Colson no negó su experiencia. De hecho, lejos de eso, se paró frente a una iglesia llena de gente en el funeral de su padre y dio testimonio de ello. Bill Tucker tampoco iba a negar su experiencia, como tampoco lo harían David Daniel, Fred y Anne Ruth, Gerry Reid o la otra "gente común" cuyas historias aparecen en este libro. Ellos entienden, ellos *saben*, que Dios se pasea por sus vidas, que Dios interactúa *directamente* con los seres humanos, que Dios incluso le *habla* a la gente. ¿Crees que Doug Furbush tuvo alguna duda de ello?

Yo puedo decirte que no.

Pero lo importante aquí es notar que su experiencia no es tan inusual.

Robert Friedman es editor en Hampton Roads, la compañía que introdujo al mundo *Conversaciones con Dios* y que publicó este libro. Cuando le dije por primera vez a Bob que quería hacer un libro llamado *Moments of Grace* (Momentos de Gracia), y le expliqué sobre qué trataba, su reacción inmediata fue:

—¡Yo tuve uno de esos!

—¿De verdad? —pregunté.

—Por supuesto, sé exactamente de lo que estás hablando.

—A ver, cuéntame, ¿qué pasó?

—Tenía dieciséis años —empezó Bob—, y acababa de aprender a conducir. Esto fue en Portsmouth, Virginia.

—Ajá.

—Bueno, pues un día me acercaba a una importante autopista de cuatro carriles desde la lateral, y en un semáforo en particular había setos a ambos lados del camino, así que la visibilidad era muy mala, realmente mala; pero no importaba, porque había un semáforo, ¿cierto?

"Entonces cuando la luz cambia a verde, pues tú avanzas. Bueno, pues la luz cambió a verde, y mientras ponía mi pie en el acelerador, de la nada una voz dijo: *¡Detente!* Así nada más. Solo, *¡detente!* No había nadie más en el auto, y yo escucho esta voz tan clara como el sonido de una campana que solo dijo: *¡Detente!*

"Así es que meto el freno en una reacción puramente automática que ni siquiera pensé. En cuanto metí el freno, un hombre en un auto *¡se pasa el alto!* Venía del lado izquierdo que yo ni siquiera podía ver, debido a los setos, antes de que llegara a la intersección; iba a ochenta kilómetros por hora, pasó volando.

"Si no me hubiera detenido, se habría estampado justo de mi lado. Digo, este hombre realmente tenía prisa, y yo seguramente hubiera muerto ahí. No hay duda alguna en mi mente, habría muerto.

"Ahora bien, ¿puedes decirme qué era esa voz? ¿Fue un ángel guardián? ¿Fue mi guía? ¿Fue Dios? No lo sé. Ni siquiera estoy seguro si hay alguna diferencia. Digo, es Dios manifestándose, ¿cierto? Todo lo que sé es que *yo escuché esa voz*. Y bueno, dijo una sola palabra, pero salvó mi vida".

—Caramba —dije—. Y si no hubiera sido por aquel Momento de Gracia, *no existiría este libro*, pues no habrías estado aquí para publicarlo; ni siquiera se habría publicado *Conversaciones con Dios*.

—Seguro que no.

—Supongo, entonces, que Dios tenía planes para ti.

—Creo que para ambos.

Ahí lo tienes. Creo que todos poseen al menos una historia personal sobre la Intervención Divina. Y no me sorprende, pues yo le dije a Bob que mi objetivo con este libro era demostrarle al mundo que mi experiencia en torno a *Conversaciones con Dios* no era tan inusual; que la única cosa inusual sobre la misma era que estaba dispuesto a hacerla pública, a hablar de ella. Y supongo que la experiencia continuó durante tanto tiempo para que yo pudiera mantener un registro y, con base en él, escribir un libro, pero la experiencia misma, la experiencia de Dios que se comunica directamente con nosotros es muy, pero muy común.

Si alguna vez pasas por Indianápolis, Indiana, pregúntale a Carolyn Leffler. Aquí está su experiencia, en sus propias palabras...

6

¿También Dios canta?

—**M**amá, no te preocupes por papá —me dijo mi hijo de cinco años, viéndome directo a los ojos—. Todo va a estar bien.

Por supuesto que me sorprendí, pues mientras llevaba a Eric a la escuela, mis pensamientos giraban en torno a mi divorcio pendiente. Estaba resignada a que mi matrimonio hubiese acabado, lo que en realidad me preocupaba era el efecto sobre Eric.

Él y su padre eran cercanos. Yo había intentado escudarlo de la dura realidad de que su padre ya no viviera con nosotros, pero Eric era demasiado listo y sensible como para no darse cuenta de la verdad.

Cuando su papá se fue definitivamente, Eric empezó a usar al revés una sudadera con capucha, cubriendo su rostro cada vez que le era posible. No importaba cuánto le implorara que no lo hiciera, él continuaba escondiéndose. Sin embargo, ese día pareció haber podido salir de sí mismo para ofrecerme consuelo.

—Gracias, cariño, tienes razón; todo va a estar bien.

Volví a maravillarme ante la habilidad de Eric para leer mi mente. Él había sido un niño intuitivo desde el comienzo, y podía identificar mis pensamientos más íntimos cuando menos lo esperaba, casi como si nos comunicáramos telepáticamente. Con frecuencia jugábamos un juego llamado "Piénsame en casa". Cuando la cena estaba lista y era momento de que Eric dejara de jugar y entrara, yo le dirigía mis pensamientos y lo llamaba con la mente. En efecto, Eric pronto se aparecía caminando por la puerta, diciendo casi casualmente:

—Está bien, mami, aquí estoy.

Eric era muy distinto de la mayoría de los niños. Más tarde, cuando tuvo la edad para ir a la escuela, pude notar que los chicos de su clase parecían no entenderlo, y debido a esto se sentía aislado. Como resultado, Eric tuvo una vida interior muy rica. Con frecuencia, sin advertirlo entraba al mundo de su imaginación, quedándose tan inmerso ahí que perdía contacto con la realidad. De hecho, su imaginación se *convertía* en su realidad.

Una vez, cuando tenía como ocho, Eric se aburrió en la escuela y buscó refugio en su mundo fantástico. En su mente, se convirtió en un tigre que acechaba a su presa en la jungla; mientras callado y sigiloso merodeaba entre el follaje denso y verde, se encontró con un chango buscando comida en el pasto. Eric se abalanzó y atrapó a su presa.

—¡Eric! ¿Qué estás haciendo? —escuchó gritar a su maestra. El niño regresó sobresaltado al presente, y se dio cuenta de que estaba agazapado en el piso del salón, ¡mordiendo la esquina de su escritorio de madera! Humillado, se disculpó. Él me dijo después que no podía encontrar palabras para explicar su conducta y, además, para este momento su maestra de todas maneras ya se había rendido en sus intentos por entenderlo, pensaba Eric.

Siempre he sabido que el mundo imaginario de Eric, además de ser un lugar de refugio y la fuente de su incapacidad para "encajar" con otros niños, es sintomático de una sensibilidad especial hacia los malestares de toda niñez. Él era vulnerable a cosas que quizás otros niños podían sacudirse fácilmente.

Cuando tenía diez, un día al principio del recreo fue que este rasgo se mostró en su faceta más peligrosa. Como Eric lo cuenta, invitó a un compañero —Jason era su nombre, creo— a jugar algún tipo de juego con él. Jason contestó:

—No, voy a jugar futbol con los demás, ¿quieres jugar con nosotros?

Eric retrocedió. La última vez que había jugado futbol lo lastimaron fuertemente y había llegado a casa con un ojo morado.

—De ninguna manera —dijo.

—Bueno, pues yo voy a jugar futbol —le dijo Jason—. Tú haz lo que quieras.

Hubo una intención hiriente en el comentario de Jason, que en verdad lastimó a Eric. Quizá brincó muy rápido a la conclusión de que, puesto que Jason no quería jugar, no sentía simpatía por él (y de ahí a la idea de que *nadie* lo quería).

Si eso era lo que *estaba* pensando, sé que fue insoportable para él. Eric encontró una cuerda que alguien había dejado tirada y, sin pensarlo dos veces, se subió a una pared no muy alta, ató el extremo de la cuerda a una reja y el otro a su cuello, y saltó.

Por fortuna, una maestra que estaba de guardia en el recreo pudo darse cuenta de las intenciones de Eric un segundo antes. Ella corrió hacia él para sostenerlo y le gritó a otra maestra para que aflojara la cuerda alrededor de su cuello.

Eric no se lastimó mucho, pero asustó terriblemente a todo el mundo. De inmediato me llamaron, y mientras estaba sentada con mi hijo en la oficina del director, no pude evitar las lágrimas.

—Cariño, ¿por qué te hiciste eso? —le pregunté—. ¿Qué no sabes que siempre podemos hablar sobre lo que te esté lastimando para resolverlo juntos? Te quiero. Tu papá te quiere. Dios te quiere.

—Pero nadie en la *escuela* me quiere, mami —lloró lastimosamente Eric.

Coloqué mis brazos alrededor de mi hijo. ¿Cómo podía ayudarlo? Quería saberlo con desesperación.

Analizando el incidente con los consejeros de la escuela, decidí darle tan poca importancia como fuera posible. Tanto los maestros como los terapeutas pensaron que lo mejor era ser discretos en cuanto a la reacción. Tomé la decisión de obtener la ayuda que Eric necesitaba para lidiar con el dolor de la partida de su padre.

Por desgracia, no tuve oportunidad de hacerlo.

Tan solo dos días después, Eric volvió a intentar colgarse, esta vez de un gancho en el clóset. Fue entonces cuando tomé la difícil decisión de internar a Eric en un hospital psiquiátrico. Sentí que no tenía otra opción.

Mientras manejábamos por la avenida arbolada hacia el hospital, lloré internamente, pensando: *no puedo dejar a mi bebé en este lugar extraño. ¡Solo tiene diez años!* Me preguntaba si Eric realmente entendía que viviría ahí, separado no solo de su padre, sino también de mí y de todas las cosas que más amaba… el hogar, que era su santuario, su refugio.

—Mamá, no te preocupes, voy a estar bien. Puedes visitarme todo el tiempo.

De nuevo, Eric había leído mis pensamientos. *¿Cómo podía un niño ser tan intuitivo y tan conflictivo al mismo tiempo?* Me preguntaba con dolor.

Llevando a Eric de la mano, dejé que el encargado nos mostrara el lugar. El sitio no era desagradable, pero, después de todo, era un hospital. Hablamos con doctores y enfermeras, desempacamos sus cosas, nos dimos un último abrazo prolongado, y nos dijimos adiós. No podría ver a Eric durante toda una semana, y sentí que era insoportable estar alejada de mi pequeñito. Me necesitaba tanto, y estaría tan solo. *¿Por qué tenía que suceder esto?* Dije enfurecida dentro de mí.

Me sentía muy perturbada y conducía mi auto de manera inconsciente a través de las calles de la ciudad. Todos mis sentimientos habían estado guardados durante días, pues quería mostrarme fuerte ante Eric, pero ahora no era necesario detener el flujo de las lágrimas, y por fin las dejé salir.

En mi mente grité:

¿Por qué está sucediendo esto? ¿Dónde hay alguien que pueda ayudarme… que pueda sostenerme? ¡Estoy sola, totalmente sola!

Tuve que hacer un gran esfuerzo para no colapsar sobre el volante.

Al estacionar el auto y caminar con torpeza por la casa vacía, sabía que me esperaba un periodo de mucha soledad. Me desplomé en la cama sin quitarme la ropa, envolviéndome con el cobertor de felpa. En mi capullo, lloré con fuerza, sentía la necesidad de ser abrazada y consolada. Después escuché que alguien decía:

No estás sola, Carolyn.

Salté de la cama, viendo alrededor con sorpresa. El cuarto estaba vacío.

Estoy contigo.

Ahí estaba *nuevamente* esa voz que provenía de ningún lugar, sin embargo, esta vez no me sentí ni sorprendida ni inquieta. De hecho, una maravillosa sensación de paz me inundó. En forma repentina supe quién me estaba hablando.

La voz me abrazó con suavidad y envolvió mi ser. Aliviada, me recliné y caí en un sueño profundo y reparador.

A la mañana siguiente, me desperté con el sol brillando a través de mi ventana. Por primera vez en días, la esperanza llenó mi corazón. Incluso me sorprendí tarareando mientras me vestía para el trabajo. Ahora sentía —ahora *sabía*— que Eric iba a estar bien; y también sabía que iba a poder superar esto… con la ayuda de Dios.

Pero después, mientras manejaba hacia el trabajo, me invadió la duda.

Madura, dijo mi mente autoritaria, *¿crees que las cosas van a cambiar porque de repente Dios se puso de tu lado?*

Odiaba eso. Odiaba que mi mente racional, y a veces escéptica, se interpusiera cuando me sentía bien (por lo general cuando estaba superando las cosas a nivel emocional). *¡No lo hagas!* Me dije a mí misma en tono de orden. *¡No vayas a esa parte! Ay, Dios mío, ayúdame. Ayúdame a saber que esto es real, que tú estás aquí, que no imaginé lo de anoche.*

De manera impulsiva, buscando algo que me pusiera de un humor más positivo, encendí el radio. Enseguida una melodía llenó el auto. "Ahora y siempre", continuaron las palabras, "estaré contigo".

Me hice a un lado del camino, y lloré.

Muchos años han pasado desde ese día, y Dios mantuvo su promesa. Él siempre ha estado conmigo. Eric no solo sobrevivió a ese desafío, ahora es un joven increíble que a través de su tenacidad está cumpliendo su sueño de convertirse en *showman*. Eric ha sido inspirado por *Conversaciones con Dios*, ¡como yo!

Lo logramos.

Jamás tengas duda de que Dios acude a nosotros cuando lo llamamos, pero debes estar consciente de que sus formas son múltiples e infinitas.

Como lo he dicho antes, Dios desconoce la vergüenza. Puede ser la trama de la siguiente película que veas, el mensaje en una cartelera gigante al doblar la esquina, un comentario que escuchaste de la mesa vecina en un restaurante.

Todas estas estratagemas son Mías, dice Él* en *Conversaciones con Dios*.

Ella*, al parecer, no se detiene para hacernos ver lo que necesitamos ver, para saber lo que necesitamos saber.

Jamás olvidaré la historia que una señora mayor —Gladys, creo que era su nombre— me contó en una carta hace algunos años. Ella había estado leyendo mi libro y, como tenía algunos problemas en su vida, le parecía difícil creer lo que decía *Conversaciones con Dios*.

—Está bien, Dios —gruñó en voz alta un día, deambulando por su pequeño departamento—. Si eres como Neale dice que eres, muéstrate ante mí. Anda, dame una señal, *cualquiera*, no me importa. Solo dame un tipo de señal sobre la realidad de tu existencia, sobre tu presencia *aquí y ahora*.

Nada sucedió.

Ella se sentó en un banco en el mostrador de la cocina, sorbiendo café.

Nada pasó.

Ella se sentó en su mecedora llena de cosas, cerrando los ojos y esperando.

Nada.

—Sí —balbuceó finalmente—, es lo que pensaba.

---

* A lo largo del libro, el autor se refiere a Dios como Él o Ella de manera indistinta. (N. de la T.)

Se paró disgustada y prendió la televisión. Entonces se puso pálida y sus piernas se volvieron de chicle. Se reclinó en la mecedora con el rostro congelado por la incredulidad. Dos palabras, tan grandes como la vida, llenaban la pantalla de la televisión:

¡OH, DIOS!

La película de John Denver y George Burns acababa de empezar, y el título de la misma apareció ahí, quemante, justo en el momento en que Gladys apretó el botón. Ni siquiera te puedes imaginar lo que pasó por su mente.

Más tarde, se rió de ello, y su carta fue escrita en ese tono festivo. Pero jamás volvió a dudar de la existencia —o la presencia— de Dios.

Como puedes ver, Dios se nos revela en muchas formas, no todas "divinas". Los mensajes celestiales no siempre vienen a nosotros en paquetes gloriosos o experiencias paradisiacas, como esperaríamos. Pueden llegar a través de una canción de *rock* pesado, o de títulos de películas de hace veinte años, o de libros muy populares, aunque increíbles.

Rara vez los mensajes de Dios se acompañan de arpas celestiales y son entregados por ángeles.

Rara vez.

Pero yo jamás diría nunca…

7

¿Es acaso un mensajero del Cielo?

*D*enise Moreland volteó a ver a la nueva mamá en la cama del hospital que estaba junto a la suya. La joven mujer tenía una sonrisa radiante mientras amamantaba a su recién nacida.

¿Por qué no puedo cargar a un hijito saludable? Le preguntó Denise a Dios en la privacidad de su mente. *¿Por qué esta mujer tiene a un hijo en sus brazos cuando el mío se debate entre la vida y la muerte?*

Era el invierno de 1976, el año del bicentenario de la independencia norteamericana, mucha gente celebraba la vida, la libertad y la búsqueda de la felicidad, aunque Denise andaba tras otra cosa más básica: una razón para vivir. Después de dos abortos antes de los dieciocho, por fin logró llevar este bebé a término, pero había sucedido algo terriblemente mal. Al final de su embarazo, la sangre de Denise, que era O-negativa, empezó a atacar la sangre de su bebé, que era O-positiva, y habían tenido que hacer una cesárea de emergencia la noche anterior. El pequeño Adam ahora luchaba por su vida, y los médicos no podían darle muchas esperanzas a Denise.

Es tan pequeño y tan hermoso.

Denise se sentía muy sola mientras contemplaba a Adam acostado en la fría cuna de plástico, con tubos que entraban y salían de él. Deseaba con todo su corazón cargarlo, calentarlo y transmitirle su amor. El pequeño no llegaba a los tres kilos, y Denise no podía concebir cómo algo tan pequeño e indefenso pudiese luchar lo suficiente por su vida.

Pero él luchó, y conforme Adam batalló durante los siguientes días, Denise también se descubrió en pugna (por no odiar a la mujer de la cama de junto, quien canturreaba y amamantaba amorosamente a su bebé cada tres horas). Más que eso, ella luchó por no odiar a Dios, quien parecía haberla abandonado.

La escena desolada al otro lado de la ventana del hospital no ayudaba; la ciudad estaba cubierta de nieve y hielo. El hospital estaba casi aislado del mundo exterior, y Denise se sintió sola y aprisionada en una realidad que nada más no entendía, la de que su hijo pudiera morir.

Estaba en la cama durante la tercera noche, tratando de no pensar sobre la posibilidad de irse a casa sin su bebé, cuando Denise llena de rabia gritó dentro de sí misma:

¿Cómo puedes hacerme esto, Dios? ¿Cómo pudiste darme este hijo, esta familia por tanto tiempo esperada —especialmente después de la horrible niñez que tuve—, solo para arrebatármelo?

Denise sentía que se le rompería el corazón.

Sin poder lidiar con la intensa batalla de emociones que rugían en su interior, Denise tomó una pluma para escribirle a una amiga con quien durante años mantenía correspondencia. Desde hacía mucho tiempo, Denise acudía a esta amiga para derramar sus emociones en papel, y parecía que ahora necesitaba desahogarse más que nunca.

Conforme la pluma se movía con rapidez a través del papel, toda la angustia mental y el profundo sentido de injusticia salieron de ella para adoptar una voz. Denise difícilmente tuvo un pensamiento consciente mientras escribía. La escritura continuó fluyendo, llenaba página tras página. El terrible dolor en su corazón por fin empezó a menguar. Entonces, en forma repentina, mientras escribía, se dio cuenta de que ya no estaba abriendo su corazón a su amiga; hablaba con Dios, y se detuvo a leer las palabras que acababan de emanar:

Este hijo es una verdadera bendición para mí, y lo quiero tanto. Él es un regalo de Dios y aunque fue concebido por mí, es un hijo del Señor. Si bien no entiendo por qué Él me lo arrebataría, también sé que no hay nada que pueda hacer al respecto. Si

*el Padre quiere llevarse a Adam a casa, que así sea. Si Dios me lo
dio, Dios se lo puede llevar. Tengo que creer que hay una razón,
un plan divino. Así es que, Maestro Creador, haz lo que tengas
que hacer para mantener el bien mayor. No mi voluntad, sino la
Tuya.*

Fue la primera vez en su vida que Denise sintió que se comunicaba realmente con Dios. Claro que había hablado antes con el
Señor, Él lo sabe. Hacía poco tiempo lo había hecho en sus arrebatos de enojo, pero nunca percibió estas pláticas como algo real.
Sin embargo, ahora tenía la certeza de que lo estaba haciendo por
primera vez en su vida, y no solo eso: también sabía que Dios la
había *escuchado*, había estado de acuerdo con ella, había transmitido algunos pensamientos *a través* de ella *a* ella. Denise se daba
cuenta ahora de que Él le daba entendimiento. ¿De dónde más podían haber salido esas palabras en su carta? En efecto, no habían
sido *sus* pensamientos (hasta este momento).

Sintió una extraña serenidad, colocó las páginas en la mesita
de noche, apagó la luz y durmió profundamente por primera vez
en tres días.

—Buenos días, Denise —le dijo la enfermera, tocándola con
dulzura en el hombro—. Vine a decirte que le vamos a sacar sangre a Adam hoy para determinar si necesita una transfusión.

A medio dormir, Denise comprendió las implicaciones de la
noticia. Si Adam requería una transfusión, podría surgir todo tipo
de complicaciones. La nueva sangre podría salvar su vida, o ponerle fin.

Acomodando la almohada de Denise, la enfermera susurró
gentilmente:

—Ten fe, querida.

Y con una sonrisa suave, salió del cuarto.

Denise pensó en lo fácil que era decir esas palabras, y lo difícil que era tener fe en momentos como ese. Al mirar por la ventana, buscó el sol de invierno sin vida. No parecía ser de mañana, y
todo estaba muy callado. *Es extraño cómo la nieve amortigua el
sonido de manera tan absoluta*, meditó. En el silencio y en lo gris
de la escena, Denise imaginó a su hijo en sus brazos, y después vio

que se elevaba hacia las manos de Dios. Una vez más, ella rezó: *Hágase Tu voluntad.*

De repente, Denise se sintió ruborizada y débil. Después, un dolor agudo la apuñaló en el vientre de manera tan fuerte que se dobló instintivamente. El cuarto se oscureció, y Denise vio con cierto desapego cómo la escena ante ella se desvanecía... hasta desaparecer por completo. Perdió el conocimiento.

—Puedes irte a casa si lo deseas.

Denise escuchó estas palabras, abrió los ojos y descubrió a una mujer hermosa que estaba parada junto a su cama. ¿Qué le había pasado, quién era esta persona? Su cabeza giraba y Denise luchaba por ver con mayor claridad. No parecía como si la visitante estuviese hablando realmente; más bien su voz melódica parecía provenir de algún lugar dentro de la mente de Denise.

La dama la contempló intensamente.

—El Padre está listo para recibirte, si es lo que deseas, pero debo decirte que tu trabajo aquí aún no termina; tu propósito todavía no se cumple. Tu pequeño va a vivir. Queda mucho por experimentar y aprender en este camino.

Ella llevaba un exquisito vestido de gasa negra. Su cabello oscuro caía sobre sus hombros. Denise tenía la idea de que la indumentaria de un ángel debía ser blanca, pero este vestuario parecía apropiado, y la mujer era tan hermosa. Sus ojos estaban llenos de compasión y amor (tanto amor que Denise difícilmente podía comprenderlo).

—Dios honra tu elección en todas las cosas —expresó—. Tú has atraído algunas lecciones difíciles, pero estas te han preparado para tu servicio hacia otros, si eliges quedarte. Continuamente recibirás señales que te harán recordar tu fe.

Denise supo sin duda alguna que se le estaba presentando una oportunidad, la de seguir viviendo en este mundo o la de dejarlo atrás, en una nueva aventura. La vida era preciosa, ella lo sabía, pero también muy difícil. ¿No habían sido sus años hasta este momento una constante batalla con el dolor y el miedo?

Simplemente, en este momento ella luchaba con la terrible realidad de que su bebé podía morir, y ella pudiese permanecer sin hijos por el resto de su vida. En este instante, ella podría partir, irse. Esta presencia amorosa le estaba ofreciendo llevarla a casa, a los brazos de su Padre, donde habría paz.

Pero Denise sabía que quería quedarse. ¡Su bebé iba a vivir! Y, con el tiempo, ella recuperaría la salud y la felicidad, con una familia a la cual cuidar y una vida que vivir. Volteando a ver a su ángel especial, Denise notó que ella sonreía, pues ya sabía cuál era la decisión.

—Yo siempre estoy contigo —dijo el ángel antes de partir.

Denise parpadeó... y vio a la enfermera parada junto a ella, sosteniendo a Adam en sus brazos. Con una alegría increíble, ella se estiró para cargar a su bebé.

Algo maravilloso le sucedió a Denise Moreland cuando empezó a escribir esa carta. Pudo soltar su enojo y liberar su resistencia ante lo que estaba ocurriendo. Este fue un momento decisivo en su experiencia.

Amistad con Dios dice:

Entonces acéptalo, y no opongas resistencia al mal, pues aquello ante lo que te resistes, persiste. Solo lo que puedes aceptar, puedes cambiar.

Ahora envuelve de amor aquello que estés experimentando; tú puedes literalmente amar cualquier experiencia no deseada. En un sentido, puedes "amarla a morir".

Finalmente, ten alegría, pues el resultado exacto y perfecto está a la mano. Nada puede arrebatarte la alegría, pues la alegría es Quien Eres. Así es que haciendo frente a cada problema, haz una cosa alegre.

La experiencia de Denise es también un maravilloso ejemplo de cómo la sabiduría de Dios puede llegarnos incluso en los momentos más inesperados. Quizás, especialmente, durante estos.

Un día, Denise sacó una hoja de papel y empezó a escribirle una carta a una amiga. Antes de darse cuenta, su destinatario se convirtió en Dios y las palabras empezaron a consolarla. La sabiduría que expresaba su escritura llegaba a ella *a través* de ella.

Una y otra vez, *Conversaciones con Dios* nos pide escuchar nuestra voz interna, ir hacia dentro, buscar la sabiduría que reside en nuestra alma. El alma, dice *Conversaciones*, es la parte que más nos acerca a Dios.

Ahora bien, Denise se contactó con esa parte de sí misma "por accidente". (Por supuesto que no hay accidentes, nada pasa en la vida por cuestiones de azar, sabes a lo que me refiero.) Ella empezó a escribirle a una persona y terminó escribiéndole a *Alguien más*.

¡Imagina lo que hubiera sucedido si ella hubiese empezado escribiéndole una carta a Dios! Digo, de manera *deliberada...*

¡Caramba! ¿Crees que terminaría escribiendo un libro?

La experiencia de Denise también es un ejemplo estupendo de lo equivocados que podemos estar si creemos que los mensajes de Dios rara vez son entregados por ángeles. En realidad, siempre son entregados por ángeles.

De una forma u otra.

Pero, espera un minuto, ¿podría ser cierto esto? ¿Existen los ángeles? ¿En verdad?

Sí, la respuesta es sí.

Ellos velan por nosotros, nos cuidan y nos llevan a Casa cuando nuestra estancia aquí termina. Ellos están suspendidos sobre nosotros, caminan con nosotros y están parados a nuestro lado noche y día, durante momentos buenos y malos, en la salud y en la enfermedad, hasta nuestra muerte.

¿Recuerdas lo que el ángel de Denise le dijo?

Siempre estoy contigo.

Ella no estaba mintiendo, pues los ángeles no mienten. Los ángeles nos bendicen, protegen y guían hacia nuestro mayor bien.

Pueden venir hacia nosotros como sueños, durante la meditación como visiones e incluso cuando estamos despiertos como apariciones. Ahora bien, la parte que quizá te sorprenda es que yo creo que los ángeles también llegan a nuestra vida como "gente real", y caminan entre nosotros haciendo y diciendo cosas increíbles.

Quizá sea una forma fantasiosa de pensar, pero considero que al mundo le iría mejor con un mayor número de pensamientos más imaginativos. Y también puedes ver todo esto de otra manera. En *Conversaciones con Dios*, Él dice:

No te he enviado sino ángeles.

¡Esto significa que *todos* son ángeles! Todos provienen de Dios y han entrado a tu vida con una misión. Quizá solo conozcas esa "misión" a nivel espiritual, pero esto quiere decir que, de alguna manera, *lo sabes*.

¿Estás sorprendido?

Considera esto. A un nivel muy profundo, tal vez sepamos la razón por la que se dan los encuentros con los otros, pues desde ese mismo nivel enviamos o emitimos vibraciones —*vibraciones reales*— que indican nuestro propósito. Esta es la razón por la cual, cuando conoces a alguien, algunas veces sientes que algo importante va a suceder con esa persona.

Déjame contarte cuando vi por primera vez a Nancy, mi esposa. En el momento que ella caminó hacia mí, supe que algo iba a suceder. Solo lo supe.

¿Alguna vez has tenido esa sensación?

¿Sí?

Pues, bueno, ¿crees que eso sea producto de tu imaginación? Si piensas así, estás equivocado.

Nancy estaba como a dos metros de mí cuando una sensación me sobrecogió. No fue una sensación de luz sobre mis hombros ni de campanas en mis oídos, y tampoco era que mi corazón se estuviera derritiendo. Yo no vi estrellitas, y tampoco luces artificiales. Pero, a su modo, la sensación fue igual de impactante. Sentí como si todo mi cuerpo se pusiera en estado de alerta. Esa es la única manera como puedo describirlo. Fue como si alguien me dijera: *Oye, despierta.*

Y luego en realidad escuché las palabras. En mi mente escuché, de manera muy directa y con una fuerte intención: *Esta persona va a ser muy importante para ti.*

No tenía idea de qué se trataba, no tenía idea de qué estaba pasando, pero puedo decirte que contemplé todo el asunto de cerca, poniéndole atención al momento.

Considero que ese fue un Momento de Gracia.

Meses después, cuando tuve que tomar una decisión importante en cuanto al compromiso y qué papel quería que Nancy y yo desempeñáramos mutuamente en nuestras vidas, recordé ese mensaje. Quizás esto te suene "poco práctico" y exagerado, pero tomé mi decisión con base en el momento. Y jamás, ni por un minuto, lo he lamentado.

Así es que la gente llega a tu vida con una misión. Nadie aparece por azar, ni siquiera la persona que pasa por la calle ni la mesera en el restaurante (que sigue cambiando cada semana).

Nadie aparece por azar.

Cuando estamos atentos y despiertos empezamos a notar quién llega a nuestras vidas y nos preguntamos: ¿qué aprendizaje me brinda este encuentro? ¿Qué está pasando en este momento? ¿Cuál es el regalo que tengo la oportunidad de recibir? ¿Cuál es el regalo que tengo la oportunidad de dar?

Quizá llegue a tu vida un ángel en un sueño, como con Denise, ayudándote a ver claramente cuáles son tus opciones en un momento particular. No descartes la experiencia como fantasía o mera imaginación. ¿Qué pensarías si fuera *real*?

Quizá sea un ángel en el área de juegos, como la maestra a quien se le "ocurrió" voltear a ver a Eric cuando él se preparaba para saltar de una pared con una soga al cuello. No descartes eso como coincidencia o "simple suerte". ¿Qué pensarías si fuera producto de un *designio*?

Quizá sea el mismo Eric, desempeñando su papel a la perfección, para que todas las vidas que la suya toque puedan manifestarse. No descartes eso como una "teoría disparatada". ¿Qué pensarías si eso fuera *cierto*?

Quizá seas tú.

¿Alguna vez lo has pensado?

Quizás ahora tú seas el ángel en la vida de alguien más. No deseches la idea como algo increíble o simples quimeras. ¿Qué pensarías si eso es *exactamente lo que es*?

De hecho, lo es.

La única pregunta es si tú lo crees.

Ahora bien, algunas personas escuchan este tipo de cosas y las "entienden" en un dos por tres; otras... pues bueno, otras son un poco tercas, y les toma algo de tiempo.

Conoce, por ejemplo, la historia de Gerry Reid...

8

Una venturosa desventura

Gerry Reid cuenta el relato de un hombre que tenía una magnífica mula a la que quería mucho, aunque era muy desobediente. El propietario llevó a la mula a un conocido entrenador de animales y le preguntó si era posible hacer obedecer a la cosa esa. El entrenador dijo:

—Seguro, déjamela unos días, y cuando regreses, será una mula completamente nueva.

Mientras el dueño se alejaba, volteó hacia atrás para despedirse y vio que el entrenador le pegaba al animal en la cabeza con un madero.

—¡Le pedí que la entrenara, no que la matara! —dijo el propietario con enojo.

A lo que el entrenador contestó:

—A veces tienes que obtener su atención de alguna manera.

Muchas personas que conocieron a Fred Ruth durante esas últimas semanas de su enfermedad cardiaca quizá se vieron tentadas a comparar su terquedad con la de una mula. Fue necesario un relámpago en medio de la sala para obtener su atención. Y Gerry Reid, de Whitby, Ontario, te dirá que se sintió justo como esa mula. Después de cincuenta años, más o menos, Dios logró con un buen golpe en la cabeza obtener su atención.

Toda su vida, Gerry había sido un hombre bastante satisfecho que recogía la cosecha de su trabajo y vivía a gusto el día a día. No tuvo mucha oportunidad de pensar en la existencia del alma ni en la de esa cosa llamada Deidad. Cuando analizaba todo el asunto, casi siempre era para concluir que, tal vez, Dios no existía. Simplemente estaba muy ocupado con su vida para dirigir su atención a semejantes cosas.

Unos cuantos años antes, cuando Gerry se ganaba la vida como impresor, tuvo la astucia de ver que las computadoras iban a cambiar de manera radical su industria, así es que decidió recibir entrenamiento en lo último de la tecnología computacional. La decisión fue afortunada porque a Gerry finalmente lo despidieron de su trabajo.

Cuando perdió su empleo, buscó escuelas que ofrecieran entrenamiento avanzado en edición electrónica para poder reestablecerse en su profesión. Pero en lugar de inscribirse como estudiante, a Gerry le ofrecieron la oportunidad de convertirse en instructor.

Parecía que lo que él había aprendido por sí mismo era más de lo que la mayoría de la gente sabía y, por tanto, sucedió que en unas cuantas semanas Gerry pasó de ser un impresor a un maestro de computación. Se dio cuenta de que todo lo referente a las computadoras era fácil de enseñar porque el proceso era lineal; cada paso era seguido de otro paso lógico. Más aún, la enseñanza parecía ser algo natural en él y Gerry disfrutaba la atmósfera universitaria, y los estudiantes eran amigables y estaban deseosos de aprender.

Un día, mientras estaba tomando café en la sala para estudiantes, Gerry notó que uno de ellos estaba haciendo alboroto en una mesa cercana. Él se acercó y trató de actuar tan despreocupado como le fuera posible.

—Qué hay, Dan, ¿qué tienes? —le preguntó.

La mayoría de la gente en la universidad sabía que Dan había sufrido una lesión cerebral después de un accidente en Año Nuevo. Un coche lo atropelló al cruzar una calle concurrida, y desde entonces su personalidad era algo volátil. Dan ahora tomaba cursos de negocios como una forma de terapia, y tanto maestros como estudiantes estaban acostumbrados a sus arranques ocasionales en el salón de clases. La furia es un síntoma común de lesión cerebral.

—No les agrado a los maestros y ellos no me agradan —dijo Dan, gritando en la sala de estudiantes—. ¡No puedo aprender nada! ¡Me voy a dar de baja!

Gerry pensó en lo difícil que debía ser para él, y se le ocurrió una idea.

—Bueno —le dijo a Dan—, puesto que ya pagaste tu colegiatura, ¿por qué no te cambias a mi clase? Quizá te gusten las computadoras.

Esa conversación fue un momento decisivo tanto para Dan como para Gerry. Ante la sorpresa de todos, Dan sobresalió en la materia. Resultó ser que el proceso lineal que Gerry empleaba como método de enseñanza era fácil de entender para un cerebro dañado, lo cual le permitió a Dan desarrollar eficacia a un ritmo acelerado.

Dan floreció, y pronto su terapeuta buscó a Gerry para hablar con él, pues quería saber lo que había hecho para contribuir al progreso mental y emocional de Dan. De un momento a otro el estudiante disminuyó su enojo y tuvo mucho mayor control de sus reacciones ante situaciones difíciles. Todo parecía indicar que Gerry había encontrado otro talento, el de introducir una terapia curativa para las personas con daño cerebral.

Fue entonces que sufrió el golpe en la cabeza.

Manejaba su moto un día, cuando una llanta explotó. La moto dio un giro y aterrizó de lleno en la cabeza de Gerry. Él se quedó tirado en el camino, inconsciente y sangrante, con el cuerpo tremendamente lastimado. El hombre que manejaba el auto detrás de Gerry fue de inmediato a su rescate, y resultó ser un paramédico que estaba de vacaciones.

El paramédico se quedó con Gerry, brindándole atención hasta que llegó una ambulancia. Los doctores le dijeron más tarde a Gerry que ese hombre le había salvado la vida con su inmediata y experta atención médica. Claro que Gerry no recordaba nada de esto, pues estuvo en coma durante varios días y despertó con muy poca memoria.

Su cerebro había sufrido un daño.

Esto es lo que Gerry recuerda:

Yacía inconsciente en la cama del hospital, vendado de la cabeza a los pies, abrió los ojos para descubrir que estaba parado en la entrada de un túnel de forma triangular. El túnel era de color verde brillante y ondulaba como si estuviese lleno de vida. Gerry sintió una terrible añoranza que lo empujaba a avanzar hacia el túnel, pero justo cuando iba a hacerlo, vio a alguien parado a un lado del mismo.

—No puedes entrar, Gerry —parecía decir la persona, aunque sin usar realmente palabras—. Todavía no ha llegado el momento, pero puedes tocar.

Gerry contempló a la entidad con asombro. Era... ¿qué? No era hombre ni mujer... quizás un ángel...

Ángeles, ángeles... Gerry buscó en su mente. *¿Qué sé yo sobre los ángeles? No sé nada, excepto que casi todos se llaman Miguel.*

—¿Eres Miguel? —Gerry dirigió la pregunta al ser que estaba ante él.

En un principio no hubo respuesta, pero Gerry tuvo la clara sensación de que el Ser parecía entretenido.

—Si quieres llamarme así, puedes hacerlo —el ángel pareció decir entonces.

Gerry extendió el brazo y sintió la pared verde del túnel, la cual era suave y flexible, tanto que parte de esta se desprendió con facilidad y quedó en su mano. Enseguida, tuvo el extraño pensamiento de que debía frotarla en su brazo, en el que estaba tan terriblemente herido por el accidente. Al aplicar el material verde a su extremidad dañada, *cesó el dolor.* Gerry dio un profundo suspiro.

Alivio.

—Gracias —empezó, pero el ángel había desaparecido, junto con el túnel. Todo lo que ahora pudo ver Gerry era un triángulo suspendido sobre él... y después, la cama del hospital. El triángulo era parte de un aparato que colgaba del techo. Poco a poco, empezó a enfocar el cuarto. Vio que estaba cubierto de vendas y que no podía moverse, pero había desaparecido el dolor en el brazo. ¡Y definitivamente estaba vivo!

Por fin, tras semanas de ardua recuperación, y con su propia lesión cerebral, a Gerry lo dieron de alta. Sin embargo, se dio cuenta de que tenía poca energía para cumplir con su horario de maestro. Empezó a trabajar como voluntario durante unas cuantas horas al día en la sede local de la Asociación de Daño Cerebral de Norteamérica. Su conocimiento y experiencia sobre computadoras le fueron útiles al personal, y cuando una de las directoras supo que la enseñanza de *software* se estaba convirtiendo en una forma aceptada de terapia para este tipo de pacientes, se acercó a Gerry y le propuso desarrollar un negocio propio.

—No estamos en posición de brindar este tipo de servicio, pero lo cierto es que si estás interesado, podemos remitir a los pacientes contigo —le ofreció.

¿Era esta conversación otra manifestación más de la Intervención Divina? Todo lo que Gerry sabe es que ahora es un propietario exitoso, feliz y sano de un negocio que brinda una terapia basada en habilidades por computadora para personas con daño cerebral, y que es hermoso ver a la gente —mucha de la cual ha llegado a creer que es imposible aprender algo nuevo— crecer y desarrollarse.

Mientras tanto, Gerry dice que su ángel personal —a quien sigue llamando Miguel— lo visita con frecuencia. Estas visitas usualmente ocurren cuando Gerry tiene necesidad de asistencia emocional. No hay halos ni alas, y si Gerry trata de concentrarse pero está muy tieso, o se vuelve demasiado preguntón, Miguel desaparece en ese momento, pero sigue siendo una presencia constante, útil y amorosa en la vida de Gerry. De la misma manera, Gerry trata de estar en las vidas de todos aquellos a quienes espera ayudar.

¿Te das cuenta? Gerry ha decidido ser un ángel amoroso y útil en la vida de los demás. ¡Él "entiende" la importancia de esto y ha optado por desempeñar este papel al máximo de sus posibilidades!

¿Te imaginas cómo sería el mundo si todos tomáramos semejante determinación?

Pero no siempre es fácil, y creo que debemos darnos cuenta de eso. Después de todo, estamos demasiado sumergidos en el engaño del mundo. *Comunión con Dios* describe esta experiencia en términos muy específicos, subrayando los Diez Engaños del Hombre (Necesidad, Fracaso, Separación, Carencia, Exigencia, Juicio, Condena, Limitación, Superioridad, Ignorancia).

Debido a que vivimos tan completa y convincentemente inmersos en el océano del engaño, rara vez vemos las cosas como son en realidad. Por ejemplo, consideramos "malo" lo que suponemos "malo", y "bueno" lo que suponemos "bueno", y no distinguimos que puede haber un intercambio entre ambos o, incluso de manera más increíble para nosotros, ser la misma cosa a la vez.

Sin embargo, a veces la mayor tragedia de nuestras vidas resulta ser el regalo más grande que hayamos recibido. De hecho —y esto es difícil de creer, lo sé, así es que agárrate fuerte—, *ese siempre es el caso*.

¿Recuerdas que Dios me dijo que no me había enviado sino ángeles? Bueno, pues él también pronunció: *No te he dado sino milagros*.

¿Qué significa esto? ¿Acaso Dios cree que *todo* es un milagro? Sí.

Ahora bien, cuando consideramos que la vida misma es un milagro —que el hecho de que la vida como la conocemos haya evolucionado en este planeta de la forma en que lo hizo sea algo completamente milagroso—, se vuelve más fácil entender y aceptar que todo *dentro* de la vida es un milagro. Pero no creo que Dios haya querido que Su declaración fuera tan generalizada y, por tanto, carente de sentido. Yo creo que Dios quiso decir que *específicamente* todo lo que se nos ha dado es un milagro.

Si eso es cierto, ¿cómo podemos experimentarlo? ¿Cómo podemos llegar a tal conclusión?

Conversaciones con Dios nos ofrece tres palabras luminosas que podemos recordar al enfrentar una tragedia o circunstancias difíciles: Contempla la Perfección.

Esto quizá no siempre sea fácil, pero cuando logramos hacerlo puede convertir un momento de desesperanza en un Momento de Gracia.

Cada vez que hablo de este concepto en mis conferencias o retiros, siempre encuentro inspirador utilizar la historia de Christopher Reeve como ejemplo.

El señor Reeve, como la mayoría de ustedes sabe, era el maravilloso y gallardo actor que hizo latir nuestros corazones en *Pídele al tiempo que vuelva*, estremeció nuestra imaginación con *Supermán* y nos dio muchos otros entretenimientos fabulosos. Su carrera cinematográfica se vio cruelmente interrumpida por un accidente a caballo, en el que terminó paralizado del cuello para abajo.

A primera vista, esto adoptó la forma de una tragedia terrible. Y seguro no fue fácil para el señor Reeve, nadie sugeriría lo contrario, pero quédense conmigo. Quiero que analicemos algo.

Después de su accidente, Christopher Reeve se convirtió en el vocero más poderoso, elocuente y, por mucho, más influyente en el mundo de las personas con problemas físicos. Y eso no es algo menor, porque la gente con problemas físicos tenía *necesidad* de una voz poderosa y elocuente.

Christopher Reeve recaudó millones de dólares, los cuales se destinaron a financiar programas de investigación cuyos resultados beneficiaran a las personas con parálisis (incluyendo la posibilidad de revertir la condición en algunos casos).

Pero el señor Reeve hizo más que elevar la esperanza sobre un mejor mañana para las personas con este tipo de problemas. Él logró que miles experimenten hoy una mejor calidad de vida, al convertirse en un ejemplo inspirador de lo que uno puede lograr con su existencia *sin importar la condición física*.

No solo viajó ampliamente para recaudar fondos y realizar actividades de toma de conciencia, también regresó a su carrera en arte dramático, como actor y director, con resultados magníficos.

¿Cómo hizo esto? ¿Cuál era su secreto?

Bueno, pues nunca hablé con Christopher Reeve, pero estoy dispuesto a apostar lo que sea a que tuvo que ver con su *punto de vista* sobre las cosas. En algún momento después de su accidente, creo que el señor Reeve, primero que nada, tomó la decisión de querer vivir; en segundo lugar, hacerlo fructífera, encantadora, activa y resueltamente; y en tercer lugar, de que le era *posible hacerlo* y que nada podría detenerlo si en verdad lo intentaba.

Aquí hay algo importante que he sacado de mis conversaciones con Dios, y que ha aparecido prácticamente en todos mis libros: la Percepción lo es todo.

Ahora bien, tengo otra verdad que también se me ha dicho y que *jamás* ha sido plasmada en ninguna de mis obras. (¡Vino a mí "entre" libros, y jamás encontré una manera de "introducirla"!): la Percepción es el tercer paso en el Proceso de Cepción.

¿El Proceso de Cepción? Sí, eso fue lo que dije. Esto es algo que Dios me ofreció en una conversación que tuvimos una noche. Él* dijo:

—Neale, todo en la vida es un Proceso de Cepción.

—¿Cepción? —repetí—. ¿Qué es Cepción?

Y Ella* contestó:

—Es una palabra que vamos a crear a partir del idioma que tú hablas, para que entiendas mejor un principio tan extraordinario que no tiene palabra en tu lengua para describirlo.

—¿Así es que vamos a crearla?

—Sí, ¿te parece?

—Oye, tú eres el jefe.

—Bueno, no en realidad. Tú lo eres. Pero puedo vivir con tu caracterización de Mí en este momento. Ahora, ¿recuerdas cuando te dije hace ya algún tiempo que las palabras son la forma menos confiable de comunicación?

—Sí.

—Bueno, pues este es un ejemplo perfecto. Tu idioma no tiene una palabra para describir de manera precisa algo que sucede

---

* A lo largo del libro, el autor se refiere a Dios como Él o Ella de manera indistinta. (N. de la T.)

en tu vida todos los días, así es que vamos a tomar una porción de algunas de tus palabras y llamaremos a esta experiencia el Proceso de "Cepción".

—Y supongo que me lo vas a explicar.

—Ya lo creo. "Cepción" es el proceso por el que tú creas tu realidad personal, y sucede de esta manera. En primer lugar, tienes una idea y este es un acto de creación pura. Tú creas algo en tu mente, así es que lo que haces, literalmente, es concebir. Entonces ves lo que has creado y haces un juicio sobre ello. Al tener una opinión sobre lo que has concebido, adoptas un punto de vista. Por lo tanto, lo que haces, exactamente, es percibir.

"Ahora bien, es cómo ves lo que ha sido creado, no lo que originalmente fue creado, lo que se convierte en tu experiencia. Lo que haces, literalmente, es recibir.

"Lo que concibes lo percibes, y lo que percibes lo recibes.

"El proceso es:

> Con**cepción**.
> Per**cepción**.
> Re**cepción**.

"Si no te alejas de tu idea original, lo que recibas será muy parecido a lo que concibes. Ahí es donde moran los Maestros, y sus ideas supremas se convierten en su más grande realidad. Sin embargo, con mucha frecuencia, tu visión de las cosas cambia, pues piensas que tu primera idea es demasiado buena para ser verdad. De tal manera que te apartas de tu creación original y dudas de la verdad. Ocurre entonces que caes en el engaño."

Como puedes imaginar, quedé atónito ante esta información. Nada de lo que había escuchado antes se acercaba siquiera a describir tan claramente el proceso mental de creación.

Cuando somos capaces de ver la perfección en todas las cosas, lo que hacemos es apegarnos a la idea original de nuestra alma. De esta manera, la gloria y la maravilla de la Intención Original se manifiestan en nuestras vidas. Sin caer ya en el engaño, identificamos los Momentos de Gracia donde nunca antes los habríamos podido distinguir.

¿Cuándo se dio el Momento de Gracia de Fred Ruth? ¿Ocurrió cuando él, literalmente, "vio la luz"? Por supuesto. Todo el mundo reconoce tal momento como de "gracia", y puede considerarlo un milagro. Sin embargo, Fred tuvo otro Momento de Gracia que acaso no sea tan evidente, y ocurrió durante su primer infarto, aunque entonces lo experimentó de otra forma. En ese tiempo, quizá Fred lo consideró un momento de desventura, ya que le era imposible ver la perfección del camino que tomaría, ni conocer el requisito para transitarlo.

Todos tenemos muchos Momentos de Gracia, lo sepamos o no, pues no se nos asigna solo uno en la vida.

¿Cuál fue el Momento de Gracia de Gerry Reid? En la historia, el primero ocurrió cuando lo despidieron del trabajo que había tenido durante muchos años. El segundo, cuando en la universidad conoció a Dan, el estudiante con daño cerebral. Un tercer momento sucedió cuando la llanta de su moto explotó. Y un cuarto fue, definitivamente, cuando "vio" a la entidad llamada *Miguel*.

Al analizarlos, podemos distinguir cómo estos momentos especiales han creado una cadena, una tubería, una extraordinaria senda de vuelo desde nuestro punto de origen hasta nuestro destino. Al contemplar el futuro podemos ver la misma conexión, pero solo si sabemos que está ahí.

Algunas veces no es tan obvio…

9

Designios divinos

*T*roy Butterworth recuerda cuando era un niño pequeño, que se acostaba junto a su madre, sosteniéndola entre sus brazos mientras ella lloraba.

—Si tan solo pudieras dejarlo, mamá —decía él, tratando desesperadamente de convencerla una vez más de escapar del abuso de su marido. Troy recordaba muchas noches idénticas, en las que le había rogado a su madre huir. El pequeño temblaba al recordar la frialdad en la voz de su padre momentos antes:

—Si intentas divorciarte, perra, te rajo el cuello —amenazó.

Ninguno de los dos dudaba de sus palabras.

Troy limpió las lágrimas de su madre.

—Si intento dejarlo, ¿qué será de ti y de tus hermanos y hermanas? No puedo dejarlos solos con él. Debo quedarme —sollozó.

Al poco tiempo, el abuso empeoró. No solo golpear a su madre era rutina, sino también los enfermos juegos sexuales que a su padre alcohólico le gustaba jugar con Troy y sus hermanos eran intolerables. Estos habían empezado años antes, cuando apenas tenía siete.

Cuando su papá bebía en exceso, Troy se escondía en el clóset, donde casi con añoranza tocaba las armas almacenadas detrás de los abrigos, con la mórbida fantasía de apretar el gatillo y volar a su padre en pequeños pedazos. Algunas veces, incluso había buscado las balas en la oscuridad, como si fuese a concretar esas fantasías.

El cuadro no era mejor fuera de casa. En la escuela, cuando iba en sexto, lo llamaban "Troy Gay". Este apodo se debía a que nuestro protagonista no tenía los intereses de los otros chicos, y tampoco se veía ni actuaba como ellos. En el recreo, trataba de esconderse de la pandilla que lo perseguía sin tregua, aventándole piedras y burlándose de él. Finalmente, el grupo casi siempre lo atrapaba y lo golpeaba. Debido a que tenía tanto miedo, Troy no podía concentrarse y, por tanto, sus calificaciones eran malas.

Además de esta tortura física, a Troy todo el tiempo lo invadía el terrible recuerdo de haber sido violado por el novio de su vecina, tres años antes. Para entonces su vida había estado tan llena de abuso que difícilmente podía reconocer este incidente como algo anormal.

De manera sorprendente, y a pesar de todo, Troy tenía una relación profunda y cercana con Dios. Parecía que Dios era el único que lo amaba. Durante todo el dolor de su niñez, Troy se aferró al pensamiento de que Él jamás lo abandonaría, y eso le daba consuelo cuando no lo había en ningún otro lugar. De cualquier modo, aunque tuviera la certeza de que Dios lo amaba, se sentía destrozado por la culpa, pues sabía que *era gay*.

Troy no podía ver con claridad cómo Dios podía querer a alguien que pecaba tanto, así es que cuando se hizo mayor empezó a cuestionar el amor divino.

Un día su remordimiento se hizo demasiado doloroso para llevarlo en soledad, y Troy decidió desahogarse buscando el consejo de un sacerdote de la iglesia bautista donde se había refugiado tantas veces antes. Todo mundo le recordaba lo que la Biblia decía sobre la homosexualidad. Le decían que Dios perdonaba todo, excepto ese pecado, pero *quizás estaban equivocados*, pensaba Troy con esperanza, *quizá Dios podría quererme así como soy*. El joven deseaba con desesperación que esto fuera verdad.

—Si permaneces en la gracia de Dios —dijo el pastor, mientras la luz del sol brillante se filtraba por las ventanas de su oficina e iluminaba el escritorio— irás al Cielo.

Troy sonrió lleno de alegría, pues su esperanza revivía. Después de todo, los otros parecían estar equivocados.

—Pero si no puedes superar tu homosexualidad —continuó el pastor—, no te tocará la gracia de Dios.

El corazón de Troy se desplomó. Dios, quien había sido su único amigo, el único consuelo en su vida cuando todos le daban la espalda. El sacerdote parecía incómodo escuchando la confesión de Troy, avergonzado de profundizar en ello no se atrevía a decirle de frente que si era gay estaba condenado al infierno, pero Troy lo entendía con claridad.

Ahora Troy tenía algo más a que temerle. Primero, había sido el abuso de su padre; después, las golpizas de sus compañeros de clase; y ahora, iría directo al infierno.

Nada habría hecho más feliz a Troy que despertar una mañana y descubrirse heterosexual.

—Por favor, Dios mío —rezaba cada día—. *Por favor*, hazme hetero.

Pero Dios no hizo hetero a Troy. Conforme iba creciendo y su energía sexual florecía, intentaba en vano frenar su deseo de estar con hombres. Convencido de que de todos modos Dios ya no lo quería, definitivamente dejó de intentar no ser gay. O, para el caso, discreto. Se volvió rebelde y con esa actitud decía: *Si de todas maneras estoy condenado, que todo se vaya al infierno*. El siguiente paso para Troy fue la búsqueda descarada de sexo en lugares públicos.

Él tenía actividad sexual con cualquiera que estuviera dispuesto en parques, baños públicos, *sexclubs* y, por una pequeña cantidad de dinero, a cualquier hora del día o de la noche. Su vida era una juerga, y no podía parar, sin importar cómo lo intentara o qué tanto quisiera modificar las cosas.

Dios se había ido, su madre ahora estaba en una institución mental y su vida carecía de sentido. El abuso se había convertido en una parte tan determinante de la existencia de Troy que, en su ausencia, lo que él hacía era abusar de sí mismo. Así es que escapó hacia Nueva York, donde podría encontrar más parejas sexuales para tratar de llenar el vacío que le había dejado en su corazón perder a Dios.

Durante el cumpleaños número veintitrés de Troy, en Navidad, no había recibido tarjetas ni llamadas telefónicas de su familia, ni tenido contacto alguno con otro ser humano. El panorama era gris y lluvioso. Las calles lúgubres estaban vacías, y Troy no tenía un solo amigo en la ciudad. Se sentó en su departamento sucio e inhóspito, escuchando el ruido del tráfico, sintiendo que su vida había llegado a su punto más bajo. Tenía frío y estaba solo.

Maldición, no tengo que estar solo, rumió. Él sabía que a unas cuantas cuadras había un *sexclub* que aún no visitaba. *Al diablo, voy para allá*. De manera desafiante, Troy se puso el abrigo y dejó su departamento, encaminándose hacia el único consuelo que conocía. *Al menos voy a poder tener algo de contacto humano*, suspiró mientras afrontaba el viento que recorría las calles.

—No hay nadie aquí, más que yo —le indicó un pulcro joven que para nada aparentaba ser el gerente de un *sexclub*.

—Lo harás bien —dijo Troy, paseándose cerca del sofá.

—No, cuate. Yo no me acuesto con clientes, solo estoy a cargo del lugar. Es Navidad y no hay nadie.

—Solo déjame hacerte el amor, por favor —Troy necesitaba con ansia sentir el contacto humano. Quería sexo.

—Ya te lo dije, cuate, no tengo sexo con clientes, este es solo un trabajo que hago para poder pagar la universidad. Yo no me meto con los clientes.

Troy se puso frenético, tenía que acostarse con alguien, era una necesidad. Pero el joven continuó hablando (algo sobre ir a la escuela y tener un novio). Troy no lo escuchaba. Todo lo que podía hacer era sentir su dependencia, su desesperación.

En ese momento, sin mayor advertencia, el lugar se oscureció y Troy empezó a sentirse mareado y desorientado. Algo muy extraño ocurrió, y pudo observar el salón desde la posición estratégica de alguien más. Ya no estaba en su cuerpo; estaba del otro lado de la estancia observándose a sí mismo, sentado en el roto y sucio sofá color naranja y café. El joven gerente seguía hablando, a su lado.

—¿Qué está pasando? —Troy preguntó alarmado—. ¿Qué sucede?

Entonces, tan rápido como había dejado su cuerpo, regresó a él. Su mente se fue aclarando poco a poco hasta que, asqueado,

cayó pesadamente en el sillón. Jamás había sentido tanta repugnancia ni rechazo en su vida. Esta sensación no podía compararse con la de todos esos años de abuso sexual por parte de su padre,
los asaltos de sus compañeros de clase o la brutal violación que
había sufrido. Este odio que sentía por sí mismo tampoco podía
compararse con el que sentía cuando pensaba en todos esos hombres que ni siquiera conocía y que respondían ante sus insinuacio-
nes. Ahora estaba aquí, implorando sexo, actuando de manera obs-
cena, excitándose. Sencillamente, Troy quería morir.

Fue en ese momento cuando decidió suicidarse, pero determi-
nó que antes de hacerlo tendría tanto sexo como pudiera. Lleno de
vergüenza y repugnancia, abandonó el *sexclub* y se fue de parran-
da para terminar todas las parrandas, pasando los siguientes tres
días deambulando por las calles, buscando en parques y baños públicos, y teniendo sexo con cualquier hombre que estuviera dispuesto (tres días de desesperación, vergüenza, miedo y total some-
timiento a esa adicción que no podía sacudirse, pero que tampoco
lo satisfacía).

Al tercer día, exhausto y totalmente vacío de cualquier sentido de sí mismo, se fue a la calle para buscar otra pareja sexual,
recordando su resolución de terminar pronto su vida.

Caminando rápido y sintiéndose afiebrado incluso bajo la lluvia invernal, recordó que alguien le había dicho que para suicidarse con pastillas para dormir era necesario tragarlas con alcohol,
así es que se detuvo en una licorería y compró una botella de
Kahlúa. Al salir de la tienda, llamó su atención un cartel en el edificio que estaba al cruzar la calle.

CENTRO PARA GAYS Y LESBIANAS
ACTIVIDADES LOS 365 DÍAS DEL AÑO. BIENVENIDOS.

Aunque no podía explicarlo y tampoco lo entendía, Troy repentinamente sintió el deseo abrumador de entrar (como si lo
estuvieran *empujando* a hacerlo). Él metió la botella en su mochila y cruzó la calle.

La dama en la recepción le dijo:

—La única reunión que se lleva a cabo hoy es la de Compulsivos Sexuales Anónimos.

Troy estaba por irse, pero algo lo detuvo.

—¿Dónde es la reunión? —preguntó con timidez.

—Al final del pasillo, primera puerta a la derecha.

Siguiendo las instrucciones, llegó al salón y se sentó en la parte posterior. Sus palmas sudaban, se sentía nervioso. El peso del licor en su mochila le recordó su determinación, pero ahora solo quería hablar con alguien, quien fuera, antes de regresar a su departamento y encarar lo irrevocable de su decisión.

—Mi nombre es Jane, y soy adicta sexual —decía una joven mujer parada al frente—. He venido aquí hoy porque es especialmente durante estos días festivos cuando me entrego a la adicción.

Ella parecía asustada.

En el transcurso de la tarde, conforme escuchaba una historia tras otra, Troy descubrió lo que ya sabía, pero no había mencionado: que era un adicto. Cuando la reunión terminó, Troy se dio cuenta de que no podía seguir viviendo en ese estado constante de miedo y repugnancia. Ahora veía con claridad que o se recuperaba o moría.

Él había visto la desesperación en el rostro del Troy que estaba sentado en aquel sillón sucio, implorando amor; él había sentido la fría soledad de su departamento vacío en su cumpleaños navideño; él guardaba el recuerdo de una niñez dolorosa en la que la impotencia de su madre era un reflejo de su propia desesperanza. En este momento, un pensamiento lo invadió. *Quizá me pueda recuperar; quizás haya esperanza.* Volteando a ver a la gente en esa sala, Troy se dijo a sí mismo: *Estas personas están vivas. Tienen conflictos como yo, pero al menos están haciendo algo para tratar de aliviar su dolor.* Con este pensamiento, pudo sentir una pequeña chispa de vida en algún lugar recóndito de su corazón.

Troy regresó a su departamento y no bebió el licor de café, tampoco trató de suicidarse; en vez de eso, se sentó y reflexionó sobre todo lo que había vivido durante los tres días anteriores, intentando aclarar las cosas.

A la mañana siguiente, empujado por el hábito más que por el deseo, se levantó, se vistió y tomó el transporte para llegar al trabajo. Localizó un espacio vacío y se dirigió ahí, pero en vez de ver un asiento disponible, encontró a un vagabundo acostado en dos lugares, profundamente dormido. La primera reacción de Troy fue de asco y enojo. Él solo quería sentarse y descansar. ¿Por qué esta persona ocupaba dos lugares?

Volteó a ver a su alrededor y no pudo encontrar otro asiento disponible. *¿Por qué con las cosas como están tengo que lidiar además con esto?* Se preguntó Troy, totalmente descorazonado. ¿Por qué todo tenía que ser tan difícil?

Le surgió un pensamiento, *Dios también ama a esta persona.* Fue como un relámpago en su cabeza. *Tú eres el afortunado.*

Troy estuvo a punto de voltear para ver quién había hablado, pero sabía que la voz provenía de su propio corazón. Sí, él se sentía solo, abatido y a disgusto con su vida, pero al menos podría comer ese día, y en la noche dormiría en una cama limpia, en un lugar que era suyo. De manera más importante, Dios le había dado el regalo de la esperanza mostrándole su desesperación y conduciéndolo directamente a un programa de doce pasos.

Entonces, Troy escuchó otro pensamiento: *Dios también te ama.*

Una sensación especial de calidez se difundió por todo su ser, y después vino una asombrosa revelación: *Están equivocados. Todas las personas que me han dicho una y otra vez que jamás podría ser realmente amado por Dios, que estoy condenado por ser quien soy, están equivocadas. Absoluta y sin lugar a dudas, equivocadas.*

Ejemplos de la gracia de Dios empezaron a llenar la mente de Troy (acontecimientos que demostraban la presencia divina en su vida). No solo había sido el hecho de descubrir el grupo de Compulsivos Sexuales Anónimos en el momento que había decidido suicidarse. Había más, mucho más. A pesar de la amenaza del sida, todavía estaba sano. Jamás se metía en líos con la ley, a pesar de su actividad sexual pública. Y quizá lo más importante de todo era que había sobrevivido la niñez con su humanidad intacta.

De acuerdo con cada autoridad religiosa que había escuchado, se suponía que Dios no podía amarlo como para protegerlo de esta manera. Él era gay, siempre lo fue y siempre lo sería. *Pero Dios me ama*, pensó Troy, *y entonces yo también me voy a amar*. Él ya no necesitaba ese asiento en el metro, pues sentía que podía volar.

Troy ha permanecido sobrio durante casi dos años, y cuenta con un trabajo estable y buenos amigos. Visita a su madre con frecuencia y está haciendo toda una labor para perdonar a su padre. Las reuniones semanales de Compulsivos Sexuales Anónimos son una parte importante de su vida. En ocasiones, él le compra comida caliente a algún vagabundo. La botella de Kahlúa se yergue en una repisa, empolvándose. Troy la conserva como un recordatorio de lo cerca que estuvo de terminar con su vida en la Tierra y cómo llegó a saber finalmente que siempre está en la gracia de Dios.

¿Alguna vez ha surgido de tu mente un pensamiento repentino? ¿Alguna vez se te ha ocurrido una idea "de la nada"? Si durante tu propia búsqueda interior o a partir de la desesperanza esto te ha pasado, apuesto a que has tenido tu propia conversación con Dios. Si el pensamiento o la idea fueron positivos, abrieron tu corazón y te alegraron, entonces sé que lo has hecho.

Una de las preguntas que la gente se hace con frecuencia es: *¿Cómo puedo saber si en realidad estoy comunicándome con Dios, y no se trata de un pensamiento azaroso de quién sabe dónde?*

La respuesta se encuentra en las primeras páginas de *Conversaciones con Dios I*, donde Él dice:

Mío es siempre tu pensamiento más elevado, tu palabra más clara, tu sentimiento magnífico. Algo inferior proviene de otra fuente.

Ahora, la tarea de diferenciación es fácil, pues no debe ser difícil incluso para el principiante identificar lo Elevado, lo más Claro y lo Magnífico.

Aun así, te daré esta guía:

El Pensamiento más Elevado es el que siempre contiene alegría. Las Palabras más Claras son las que contienen verdad. El
Sentimiento Magnífico es al que llamas amor.

Alegría, verdad, amor.

Estos tres son intercambiables, y uno siempre lleva al otro,
sin importar en qué orden se coloquen.

Los pensamientos de enojo, venganza, resentimiento o miedo
no son comunicaciones de Dios. Pensamientos de preocupación,
frustración, limitación o ineptitud tampoco lo son. Aquellos que
tienen que ver con la discriminación, el juicio o la condena ciertamente no forman parte de una conversación divina.

Tampoco lo es *ningún* pensamiento que reduzca la esperanza,
aniquile la alegría, disminuya el espíritu o restrinja la libertad.

Yo sé que la comunicación de Troy en ese vagón del metro
provino directamente de Dios, porque fue de amor incondicional
y total aceptación. Debes tener la certeza de que esos pensamientos son comunicaciones.

Pero ahora preguntémonos otras cosas, ¿fue una coincidencia
que el mismo vecindario adonde Troy acudió para continuar con su
estilo de vida autodestructivo ofreciera programas que le proporcio-
narían las herramientas para su transformación? ¿Fue mera casualidad que uno de esos programas —el único que se impartía ese día de
su visita— abordara específicamente el conflicto esencial de Troy?
¿Fue pura suerte que el edificio estuviera frente a la licorería donde nuestro protagonista compró el instrumento de su deceso?

¿O fue un Momento de Gracia verdadero, conectándose con el
del metro al día siguiente?

Cuando los acontecimientos parecen desenvolverse como por
designio, quizás es que Alguien Más está interviniendo...

No toda intervención divina es tan dramática como las historias de Gerry Reid o Troy Butterworth. Algunas son hasta diverti-
das... aunque igualmente impactantes. Preguntémosle a Kevin
Donka.

10

Y un niño pequeño los guiará...

*L*as vacaciones y los días festivos religiosos son siempre momentos difíciles si las cosas no van muy bien. Como tienen la intención de ser una época de alegría y felicidad, pueden en su lugar ocasionar tristeza, como ejemplifica la historia de Troy, y las de innumerables casos. El corazón tiende a abrirse con mayor facilidad cuando las tradiciones y la cultura de la gente la llevan a recordar los grandes secretos de la vida.

Puede ser Ramadán, Rosh Hashanah o Beltane. No importa. Todas las tradiciones y todas las culturas tienen días especiales y momentos en los que su sabiduría más profunda y su mayor alegría son expresadas abiertamente a través de la conmemoración y el ritual, de la canción y el baile, de la reunión familiar, la alegría compartida y la celebración de la Vida Misma.

Pero Kevin Donka no se sentía con ánimo de celebrar la época navideña. De hecho, se sentía muy solo, apartado.

¡Si tan solo entendieran! Pensó para sí. *¡Si tan solo dejaran de ser tan críticos! ¡Si tan solo…!*

Algunos malentendidos graves se habían esparcido en la familia de Kevin. Su hermana casi no le hablaba, y su hermano estaba enojado también. Incluso su padre se había unido al ataque, dejándolo sin defensa. Kevin reflexionaba que si bien la Navidad no era momento para discutir, era difícil ignorar que su familia estaba haciendo juicios muy injustos sobre él.

Todo esto tenía que ver con un negocio en el que se había embarcado con su cuñado. De alguna manera, todo el mundo había concluido que Kevin no estaba cumpliendo con su parte del trato.

¡Si tan solo escucharan! Kevin pensaba ahora. *Yo soy el único que he sido justo en esto,* se decía con amargura. *Yo soy el único. ¡Yo soy el ÚNICO!*

Él estaba enojado, de hecho, durante la semana previa a la Navidad solo pensaba en esta situación de conflicto. Por esta razón, prácticamente había tomado la decisión de no ir con su familia a la reunión anual navideña, que se celebraría en casa de su padre.

—Me sentía consternado —recuerda—. No sabía qué hacer ni cómo enmendar los desacuerdos entre nosotros. Y no quería ir y sentir toda esa tensión en el aire, en especial ahí con los niños, pues ellos se dan cuenta. Uno puede creer que no saben lo que pasa, pero lo sienten. Yo no quería que todo eso arruinara su Navidad.

Kevin intentó todo método conocido para hacer a un lado el resentimiento. Había leído *Los cuatro acuerdos* de don Miguel Ruiz, y ahora trataba de aplicar uno de ellos: no tomes nada a título personal.

—Fue difícil —dice—. Aunque la sabiduría del acuerdo es enorme, era complicado aplicarla cuando tu propia familia te juzga tan duramente. Pensé que me conocían mejor.

Kevin Donka es un quiropráctico en Lake Hills, Illinois, y ha curado a mucha gente. Pero ahora, meditaba con ironía, ni siquiera podía curarse a sí mismo. Por supuesto que esta era una tristeza del corazón, no una condición del cuerpo, así es que era diferente. Por la forma como se estaban perfilando las cosas, tendría que haber algún tipo de intervención divina, algo mucho mayor que lo aprendido en la carrera.

Llegó el sábado antes de Navidad. La cena en la casa de los Donka fue normal, aunque un poco apagada. Kevin sabía que tendría que tomar una decisión final pronto (y comunicarla a su familia). ¿Cómo les explicaría a sus hijos que no verían al abuelo el día de Navidad? ¿Cómo podría compartir con su esposa, Cristine, la honda amargura que sentía?

—¡Papi, papi, ven a verme! —Mariah, su hijita de seis años, gritó con deleite cuando todos se acomodaban en el salón familiar después de la cena. Sus ojos verdes brillaban, y su suave cabello castaño y lacio se balanceaba al ritmo de la música de Britney Spears. Ella había estado practicando una canción con su reproductor de CD portátil durante todo el día.

—¿Me puedes tomar un video, papi? —imploró—. ¡Quiero ponerlo después para ver cómo lo hago!

Kevin sonrió. Los niños dan tanta alegría, y pudo desviar su mente de sus pensamientos oscuros, aunque solo fuera por unos instantes. Así es que los dos bajaron al lugar que, durante la juventud de Kevin, era conocido como el "cuarto de juegos". Ahí, sacó la videocámara, encontró una buena posición en el sofá y apuntó el lente hacia la pequeña, mientras ella empezaba toda su rutina de nuevo.

En la canción que Britney Spears canta, hay un verso que dice: "Mi soledad me está matando", pero Kevin notó que Mariah la cantaba diferente, y decía "Mi *solodad* me está matando".

—Cariño, así no dice la canción —Kevin corrigió amablemente a su hija—. Esa no es la palabra.

Y le dijo cómo iba la letra de la canción.

Mariah pensó por un momento y después contestó:

—¡Me gusta más a mi manera!

Kevin encogió los hombros, sonrió y de nuevo empezó a grabar.

Esta vez, y ahora con ganas de molestar a su padre, Mariah hizo algo que provenía desde su joven picardía. Cuando llegó al verso que su papá le había corregido, se pavoneó dirigiéndose hacia la cámara, puso su rostro ante el lente y le cantó en su cara a Kevin: *¡Tu solodad te está matando, papi!*

Kevin parpadeó desde su lado del lente, y después se incorporó de inmediato.

—Sentí como si me hubieran pegado con un ladrillo —recuerda.

Los sentimientos de separación de su familia abrasaban su alma. Recordó sus propias palabras. *Si tan solo... si tan solo... soy el único...*

Entonces supo que había recibido un mensaje de un lugar que estaba más allá de él y de su pequeña hija Mariah, pero que existía justo dentro de ellos.

Más tarde esa noche, acostado en la cama, tomó otro de los libros que había estado leyendo: *Amistad con Dios*. Después de leer unas cuantas páginas, volteó a ver a Cristine.

—Tengo que contarte algo que pasó esta noche —le dijo, relatándole su experiencia con Mariah y la canción—. Creo que era Dios hablándome sobre toda esta cuestión con mi familia. El libro dice que Dios nos habla todo el tiempo, solo tenemos que estar abiertos.

—Lo sé —le dijo con delicadeza su esposa—. ¿Qué vas a hacer al respecto?

Una lágrima surcó un camino hasta la boca de Kevin, quien sintió su sabor salado, y recordó dos preguntas de *Conversaciones con Dios* que había memorizado.

¿Es esto lo que soy realmente?

¿Qué haría el amor en este momento?

—Voy a ir en Navidad y los voy a amar, sin importar lo que hagan o digan.

Cristine sonrió.

Al día siguiente, Kevin llamó a su padre.

—Papá, nos gustaría visitarlos con la familia en Navidad, si están de acuerdo, y dejar atrás todo lo que ha sucedido entre nosotros. Tengamos un bonito festejo.

Su padre ni siquiera hizo una pausa.

—Eso es lo que yo también quiero, Kevin —exclamó.

Y la *solodad* de Kevin dejó de matarlo.

Es de la boca de los pequeños de donde recibimos la mayor sabiduría, y el caso de la pequeña Mariah Donka es un ejemplo maravilloso y alentador. La sensación de estar solo contra el mundo es muy común. Lo que es necesario para superar esta condición, como Kevin lo hizo en la experiencia anterior, es tener mayor conciencia. Algunas veces las cosas más raras pueden empujarnos a esa conciencia, como la declaración inocente y, al parecer, inconexa de una niña.

Ahora bien, ¿en verdad era inconexo el comentario de Mariah? ¿Nada tenía que ver con lo que estaba sucediendo en ese momento en la vida de su padre? ¿Había sido un grupo de palabras azarosas, el arrebato ingenuo de una nena bulliciosa y juguetona? ¿O era Intervención Divina, del tipo más subrepticio? ¿Podría haber sido esta una conversación con Dios?

Yo creo que sí, de hecho, *sé* que sí. Y creo que Dios nos habla con frecuencia a través de las bocas de los niños. ¿Por qué? Porque los niños no han olvidado; los niños no han estado "lejos" el tiempo suficiente como para perder el toque con la verdad más profunda y la mayor realidad.

Con esto recuerdo la historia que conté en *Conversaciones con Dios I* sobre la pequeña niña que se sentó un día en la mesa de la cocina a dibujar con sus crayolas. Su mamá se acercó a ver por qué parecía tan concentrada.

—¿Qué estás haciendo, cariño? —preguntó.

La chiquita volteó a verla con una sonrisa radiante.

—¡Estoy haciendo un dibujo de Dios!

—¡Qué lindo! —sonrió su mamá—. Pero, querida, nadie sabe realmente cómo es Dios.

—Bueno —dijo la pequeña—, si tan solo me dejaras *terminar*...

¿Te das cuenta de cómo funcionan las cosas con los niños? Ni siquiera se les ocurre que no pueden saber lo que otras personas en el mundo —los supuestos y más listos adultos— desconocen. Los niños no solo son totalmente claros, sino que no juzgan lo que piensan. Los niños solo sueltan la verdad, dejan caer su sabiduría y se alejan bailando.

Mi maravillosa amiga, la reverenda Margaret Stevens, cuenta la historia de un momento que jamás olvidará. Un día le dio a su pequeña hija una nalgadita y una reprimenda por algo que había hecho. Cuando su hija empezó a llorar, Margaret la vio y le dijo:

—Ya, ya, te perdono.

Su hija la volteó a ver y le dijo:

—Tus *palabras* me perdonan, pero tus *ojos* no.

Ese es un entendimiento helado y preciso, es el tipo de cosa que solo puede ver un niño y decirlo de manera tan clara.

Margaret, actualmente en sus ochenta, todavía utiliza ese momento como una herramienta de aprendizaje en sus pláticas y sermones, describiendo cómo su propia hija le brindó una lección sobre el perdón, el cual no debe ser solo palabrería sino provenir del corazón.

De la misma manera, Kevin Donka recibió un aprendizaje surgido de la sabiduría particular que, "por accidente", transmitió la confusión de una pequeñita. Pero ¿fue una confusión? ¿Fue un accidente?

Nuevamente, digo que no.

Como tampoco fue un accidente que Dios *me* contara esta historia, a través de Kevin. Pues este aprendizaje tenía la intención de llegar no solo a la casa de los Donka en Lake Hills, Illinois, sino también a los muchos miles de personas que tendrán contacto con estas palabras aquí, en este libro.

Ahora bien, quiero que sepas que el aprendizaje es mayor de lo que piensas, pues al reflexionar en torno a las lecciones en la historia de Kevin, me di cuenta de que había más de lo que se percibía a simple vista. Pude ver claramente que esa *unicidad* (*solodad*) a la que se refirió la pequeña Mariah con su juego de palabras es una *condición espiritual* que puede ser perjudicial o *benéfica*, dependiendo de cómo la experimentemos.

Si entendemos *unicidad* como la condición de estar separado de todos los demás —el "único" que hace esto o aquello, "el único" que tiene una experiencia particular—, entonces será debilitante.

Si entendemos *unicidad* como la condición de estar unido con todos los demás —que no hay nadie más que "nosotros", que todos somos Uno—, entonces esta condición será vigorizante.

Mediante nuestro entendimiento de este estado espiritual seremos o más grandes o más pequeños.

Esta es mi comprensión del asunto:

Decir que *solo Dios está en el universo y no hay nada más*, es una declaración extraordinaria de impresionantes implicaciones; entre ellas, el hecho de que realmente *somos* Uno. Estamos hechos de lo mismo, o como el renombrado físico John Hagelin dice: *En su base, todo en la vida está unido. La vida es un Campo Unificado.*

¿Pero qué tan unidos estamos?

El mundo quedó atónito en febrero de 2001 al saber que la estructura genética de los seres humanos es *idéntica* en un 99.9 por ciento. Los hallazgos del Proyecto Genoma Humano, llevado a cabo por dos equipos separados de científicos alrededor del mundo, produjeron sorprendentes revelaciones sobre nuestra especie (evidencia que por fin da crédito a lo que los maestros espirituales nos han estado diciendo desde el principio de los tiempos).

Entre las primeras conclusiones de estos estudios científicos se encuentran las siguientes:

- Hay muchos menos genes humanos de los que se pensaba: probablemente alrededor de 30 000, y no los 100 000 que la mayoría de los científicos predecía. Eso es solo una tercera parte más que los encontrados en las lombrices.

- De esos 30 000 genes humanos, solo se han identificado 300 que no tienen una contraparte reconocible en el ratón.

¿Alguna vez has escuchado que solo hay diez grados de separación entre todos los seres humanos? Pues bien, solo hay trecientos genes de diferencia entre los hombres y Mickey Mouse.

Entre más conocemos nuestro mundo, la vida y el funcionamiento de ambos, mayor es nuestra conciencia de que habitamos un universo de unicidad, como concluyó la pequeña y bella Mariah. La vida es lo único que hay. Todo lo que veremos mientras indaguemos más y más sobre ella serán simples variaciones sobre un tema al que yo llamo Dios.

Lo que la evolución nos invita a hacer es desplazar nuestra conciencia de la soledad a la unidad. De esta manera, cuando en verdad podamos ver que la Vida es la Única Cosa Que Es, nos daremos cuenta de que también el Amor es la Única Cosa que Es. Finalmente, percibiremos que Dios también cae dentro de esta categoría, pues la Vida, el Amor y Dios son lo mismo. Estos conceptos son intercambiables, y prueba de ello es que puedes reemplazar uno por otro casi en cualquier oración sin alterar el significado ni disminuir la comprensión. De hecho, lo que harás será expandir el entendimiento.

La Vida, el Amor y Dios se comunican con nosotros en cientos de formas todos los días, algunas veces a través de las voces de los niños, y algunas veces por los susurros de algún Amigo Interior...

Amigo Nuestro que estás
en los Cielos...

—*L*as cosas mejorarán en Seattle, niños. Solo sean pacientes y verán.

La mamá de María canturreó estas palabras mientras manejaba la camioneta vieja y desvencijada por la carretera. Ya desde Filadelfia, la pintura roja del auto había empezado a verse un poco descolorida, además ahora estaba permanentemente cubierta de polvo.

Había sido un largo viaje, y la pequeña María Endresen estaba cansada de ver por la ventana, pero más de estar peleando con sus tres hermanos, que eran mucho mayores que ella y, por esa razón, les gustaba molestarla. Quizá debió de haberse quedado en Filadelfia con su papá y sus dos hermanos mayores. Sin embargo, por ser la más joven, María no tuvo mucha voz en el asunto. Cuando su mamá tomó la decisión de emprender el camino y encontrar una mejor calidad de vida con nada más que una vieja camioneta, cuatro hijos y doscientos dólares en la bolsa, no pudo hacer otra cosa que seguirle la corriente.

—¿Por qué Seattle? —preguntó María a su mamá cientos de veces—. ¡Está del otro lado del mundo!

—Esa es la razón. Está lo más lejos posible de Filadelfia, pero sigue perteneciendo al mismo país —contestó su madre.

Después de días de camino, la ciudad por fin apareció ante sus ojos. La región de Puget Sound se veía gris y fría, lo que aumentó el nerviosismo de María en relación con todo lo que estaba pasando. A su corta edad, ella no habría podido decirlo de ese modo, por supuesto. En su lugar, pronunció:

—Mami, siento un hoyo en la panza.

El tiempo pasó, pero la sensación de intranquilidad permaneció.

La buena noticia era que la madre de María encontró empleo de inmediato. Sin embargo, el trabajo estaba en Chinatown, un lugar insólito y lleno de movimiento. La gente hablaba rápido y chistoso, siempre con prisa por llegar a algún lado. Las ventanas de la tienda estaban llenas de cosas raras, como patos y pollos desplumados colgando del cuello, verduras imposibles de identificar y quién sabe qué cosa deshidratada que le provocaba náusea a María. Para empeorar las cosas, con frecuencia las calles estaban mojadas, y el cielo casi siempre nublado.

Nadie le prestaba atención a la pequeña niña que solía pasar largas horas en la recepción del antiguo hotel donde su madre trabajaba. Ella se sentía como una extraña en ese lugar debido a que no había nadie con quien hablar, y tampoco niños con los cuales jugar. Sus hermanos y hermanas estaban en la escuela todos los días. En ocasiones, durante la hora de la comida, la madre de María la llevaba hasta el muelle para alimentar a las gaviotas, pero generalmente dejaba que se entretuviera sola en el polvoriento *lobby* del hotel. La mayor parte del tiempo, ella se sentía sola.

Cuando María tuvo la edad suficiente para ir a la escuela, todos sus hermanos ya habían terminado sus estudios y partieron de casa. En aquel tiempo María y su madre se mudaron al sur de Seattle. La casa que su mamá encontró era más grande que cualquier lugar donde hubieran vivido antes, pero en vez de hacer feliz a María, le parecía un poco tenebrosa, especialmente por ese sótano polvoriento y lleno de telarañas en la oscuridad de los rincones. Al menos se encontraba en un vecindario con otras casas como la suya, y otros niños con quienes jugar.

La mamá de María ahora se tardaba más en llegar del trabajo, pues como la camioneta sucumbió desde hacía tiempo, debía tomar un autobús cuya ruta no era nada directa. Después de trabajar todo el día y pasar una hora en el transporte para llegar a casa, la mamá de María estaba demasiado cansada y de mal humor como para pasar mucho rato jugando con su hija. La soledad de María a los ocho años se había convertido en una forma de vida.

Cada mañana, María se vestía y se iba a la escuela. Cuando regresaba en la tarde, se ponía a ver la televisión. La casa grande y vieja crujía y gruñía, y aunque todavía era de día, a María nunca le gustaba estar ahí sola. Como sentía miedo, frecuentaba la tienda de la esquina, donde podía ver revistas y hablar con las personas que entraban y salían.

Una vez le dio hambre a María en la tienda, pero como era habitual, no tenía dinero. Pensó en tomar el dulce que quería, pues nadie la vería, nadie se daría cuenta. Y solo se estaría robando unos cuantos centavos de dólar, que era lo que costaba el dulce. Ella se metió el chocolate en el gran bolsillo del abrigo morado.

Eso fue fácil, se dijo María.

Fue tan fácil y la satisfacción tan grande, que María empezó a robar de manera regular. Nunca había dinero, y la pequeña siempre encontraba cosas que deseaba, así es que aprendió a tomar cualquier cosa que llamara su atención. El abrigo morado era perfecto, pues tenía grandes bolsillos y era lo suficientemente grande como para esconder cualquier objeto del deseo.

Algunos días María tomaba cosas solo porque le divertía hacerlo, hasta ese extremo había llegado su hábito. Ya no se trataba de tomar aquello que creía necesitar o un trozo de dulce cuando tenía hambre. La enfermedad la empujaba a robar solo por la emoción de hacerlo, sin sentirse culpable por ello.

Un día regresaba María a casa desde la tienda, mordisqueando un dulce que acababa de tomar, y fue entonces cuando tuvo la experiencia que cambió su vida (y que continúa afectando su existencia hasta el día de hoy).

—*¿Es esta quien eres?*

María escuchó una voz y se detuvo para voltear a ver a su alrededor. No había nadie cerca de ella.

—*¿Es esta quien deseas ser?*

Ahora la voz parecía provenir del interior de su cabeza. María quedó congelada.

—¿Qu-qué... *quieres decir?* —respondió internamente.

—¿*Es esta quien eres?* —la voz volvió a preguntar.

Después María entendió. Sin sentirse asustada ni avergonzada, ella simplemente entendió que la voz le preguntaba si tomar aquello que no le pertenecía era el tipo de cosas que en realidad quería hacer, si convertirse en una ladrona era lo que deseaba hacer en la vida.

La voz sonaba amistosa, y no transmitía juicio ni acusación. Solo era una pregunta cuya respuesta María sentía como algo natural.

No, no quiero ser una ladrona, pensó.

Ella aventó el dulce a un basurero cercano y casi de inmediato se sintió mejor. Después adquirió conciencia de un saber interno (repentino y poderoso). María tenía cosas más importantes que hacer, había un propósito más elevado en su vida, y este *asunto de robar* era un obstáculo para lograrlo.

En ese momento, María supo que jamás volvería a tomar algo que no le perteneciera, pero lo más importante es que cobró conciencia de que ya no estaba sola. Al haber crecido de manera tan solitaria, María siempre se había *sentido* así. Ahora sabía que tenía un amigo, pues había escuchado su voz en lo profundo de su corazón.

Pasaría algo de tiempo antes de que María le diera un nombre a su amigo (en definitiva, eligió llamar *Dios* a esta presencia). Desde el primer contacto con esta nueva amistad, la soledad de la pequeña se desvaneció, pues Él se convirtió en su compañero constante.

Aunque a muchos pueda parecerles extravagante la idea de tener tal cercanía con el Creador, en el libro *Amistad con Dios* se nos ofrecen siete pasos para lograr esta condición, y es importante mencionar que no es necesario seguir toda la ruta. Como con todos los procesos de evolución, muchos pasos —algunas veces *todos*—

pueden omitirse. En realidad, cuando esto sucede no se debe a que nos hayamos saltado pasos, sino a que los damos todos a la vez.

Eso es lo que pasó con María cuando era pequeña. Ella tuvo una experiencia mística, un Momento de Gracia en la esquina de una calle en el sur de Seattle, que cambió todo en relación con la forma como estaba experimentando su vida. La niña, en ese instante, dejó de sentirse sola y confusa respecto a sus valores.

En esa esquina, María y el universo aglutinaron todos los pasos para lograr una amistad con Dios.

Los Siete Pasos de la Amistad con Dios son fáciles de recordar y de llevar a cabo:

1. Conocer a Dios
2. Confiar en Dios
3. Amar a Dios
4. Acoger a Dios
5. Utilizar a Dios
6. Ayudar a Dios
7. Agradecer a Dios

Amistad con Dios analiza detalladamente estos pasos. Habla de cómo la vida se resuelve en el proceso de la vida misma, y lo ejemplifica. Además, explora las Cinco Actitudes de Dios (enumeradas más adelante en este libro, en el capítulo 15), y explica los Tres Conceptos Nucleares de la Vida Holística (Conciencia, Honestidad, Responsabilidad).

Es un documento extraordinario, y yo alentaría a todos a examinar el contenido a fondo para sondear sus declaraciones de manera profunda, para cosechar sus tesoros. Si lo haces, verás que para conocer a alguien (*en verdad* conocer a alguien) debes olvidar todo lo que pensaste sobre esa persona, y todo lo que alguien más te haya dicho sobre ella, y simplemente vivir tu propia experiencia.

Lo mismo pasa con Dios, ya que no puedes conocerlo en verdad si crees que *ya* sabes todo lo que hay que saber acerca de Él (en particular, si lo que crees que sabes se basa en lo que te dijeron otras personas).

Acerca de esto mismo, Troy Butterworth nos ofreció un ejemplo contundente. Otras personas, incluyendo un ministro, le dijeron lo que Dios pensaba sobre los gays, así es que él creía conocer a Dios bastante bien en ese aspecto. Se iba a ir derechito al infierno, y no había de otra. Después, él tuvo su propia experiencia divina, y se dio cuenta de que Su amor era incondicional y no tenía nada que ver con los juicios mezquinos que algunos seres humanos hacían (y que algunos seres humanos querían hacerles creer a otros sobre las opiniones del Creador).

Quizá te sea muy difícil confiar en alguien a quien no conoces realmente, y quizá tengas la misma dificultad para confiar en Dios.

Quizá te sea muy difícil amar a alguien en quien no puedes confiar, y quizá tengas la misma dificultad para amar a Dios.

Quizá te sea muy difícil abrazar a alguien de todo corazón, abriéndole generosamente las puertas de tu vida, y quizá tengas la misma dificultad para acoger a Dios.

Quizá te sea muy difícil utilizar cualquier cosa en tu vida si no estás dispuesto ni siquiera a acogerla, y quizá tengas la misma dificultad para usar a Dios.

Quizá te sea muy difícil ayudar a alguien a quien le eres totalmente imprescindible, y quizá sientas la misma dificultad para ayudar a Dios.

Y quizá te sea muy difícil sentir gratitud por alguien a quien no le puedes brindar ninguna ayuda, y quizá sientas la misma dificultad para agradecer a Dios.

Como con todas las maravillosas revelaciones que se nos han dado a través de la serie de libros que llevan por título *Con Dios*, una cosa lleva a la siguiente. También es interesante ver que, en los Siete Pasos hacia la Amistad con Dios, todo el proceso puede ser revertido. Esto es, puedes empezar a hacerte amigo de Dios, primero dándole las gracias por todo lo que tienes en la vida.

Después de hacer un inventario y darte cuenta de todo aquello por lo que debes experimentar gratitud, naturalmente querrás ayudar a Dios. El Creador tiene "preparado" algo para ti, algo que pronto descubrirás si expandes aunque sea un poco tu conciencia. A partir de esto, el deseo de "ayudar" a Dios se volverá algo natural, y así podrás desempeñar tu parte en el Perfecto Desenvolvimiento de Tu Ser (que resulta ser *lo que Dios tenía preparado*).

Mediante la ayuda que le brindes a Dios, descubrirás que lo que estás haciendo es en realidad utilizar al Creador y todo lo que Él es. A través de tu manejo de Dios y de todo lo que Él es, lo habrás acogido verdaderamente en tu vida. Cuando te des cuenta de que le has abierto las puertas a Dios, de manera natural te enamorarás de Él. En tu gran amor por Dios, empezarás a confiar en el Creador de manera implícita. Y cuando todo el proceso haya terminado, sabrás que has llegado a conocer a Dios como jamás lo habías hecho antes. Por lo tanto, podrás gozar de una *amistad con Dios,* real y genuina.

Y vemos que, en este proceso, las fichas del dominó pueden caer hacia cualquier lado, o como observamos antes, quizá se derrumben todas de una vez, como lo hicieron para María Endresen cuando era una niña pequeña.

María todavía goza de su amistad con Dios. No es un producto de su imaginación, ni un vuelo de la misma. Es muy real, muy genuina y muy práctica. Cuando María se encuentra ante una encrucijada en su vida, cuando se acerca a *cualquier* punto de elección, cuando confronta *cualquier* problema, cuando debe enfrentarse a *cualquier* desafío, ella sabe que no está sola. María tiene un amigo que le da consejos que siempre son buenos y, como un murmullo, le llegan al corazón.

12

Viajes del alma

Las experiencias inusuales de Jason Gardham empezaron cuando era niño. Siempre el primero en levantarse de la cama, amaba correr, jugar y deambular con libertad en la granja donde vivía. Su lugar favorito era un bosque cercano colindante con la propiedad de la familia. Cada mañana de verano, después de comerse a toda velocidad un sándwich, se encaminaba hacia el bosque.

Su madre sabía que Jason se había levantado antes que nadie y partido al bosque, pues cuando bajaba a la cocina encontraba el frasco de crema de cacahuate en el mostrador y la bolsa de pan abierta.

Jason iba al bosque a jugar con sus amigos especiales. No eran de este mundo, él lo sabía, pero hablaba de ellos como si lo fueran. Cuando el sol empezaba a ascender por el cielo, Jason se introducía entre los árboles, podía sentir la energía en el aire e intentaba percibir si encontraría a los niños saltando y riendo entre los helechos. Algunas veces estaban esperándolo, y todo el día se escondían detrás de los árboles y se perseguían muertos de risa.

Otros días, Jason pasaba la mañana buscándolos y escuchándolos, pero no los veía; cuando esto sucedía, regresaba a casa desmoralizado y lloroso.

—¿Qué pasa, cariño? —le preguntaba su madre.

—Mis hermosos niños no estuvieron hoy en el bosque. No sé dónde están —decía sollozando.

Se refería a ellos como sus hermosos niños.

Poniendo los brazos alrededor de su pequeñito, la madre de Jason jamás dudaba de él, y tampoco se le ocurría amonestarlo por conjurar compañeros de juego imaginarios. En una ocasión, ella modestamente le preguntó sobre los niños, y como Jason sabía que estaban ahí, respondió con sencillez: *confianza*. Así, al igual que él confiaba en sus compañeros de juego y en la vida misma para que se los encontrara, ella también confiaba en lo que él le decía sobre su inusual experiencia.

Muchas veces su hijo compartía como si nada los detalles de lo que veía o escuchaba, cosas que alarmarían a la mayoría de las mamás. Ella sinceramente había llegado a confiar en que su hijo era, en cierto modo, especial.

En el contexto de tal aceptación y amor incondicional, Jason se convirtió en un joven sano y bien adaptado. Al tener libertad para experimentar cosas extrañas y hablar abiertamente de ellas, sin miedo a que se burlaran de él, continuó haciéndolo. Su madre le había enseñado que ella, también, era de confiar.

Así pues, sucedió que a los diecisiete, Jason Gardham viajó a los rincones más lejanos del cosmos, a la orilla del cielo. Y lo hizo sin siquiera salir de su habitación.

Es importante enfatizar que estamos hablando de un adolescente normal a quien le dolía el corazón cuando alguna chica no le hacía caso, que jugaba deportes, que exploraba sus talentos artísticos. No era alguien que pasara su tiempo con drogas o experimentando viajes de ácido. Los libros eran más su estilo, y la lectura de uno bueno era algo que disfrutaba.

En 1958, una tarde de julio, después de terminar de cenar, eso fue exactamente lo que Jason decidió que quería hacer, leer. No fue lo que *hizo*, sino lo que *quería* hacer. Cuando llegó a su cuarto en busca de un libro, encontró en su lugar una realidad completamente alterada.

Al cruzar el umbral, se encontró en la oscuridad total, *total*. No había ninguna luz que asomara por algún rincón. *Caramba*, pensó, y trató de localizar el apagador, cuando sintió como si lo estuvieran succionando a través de un vacío a una velocidad aterradora.

Moriré, gritó su mente. *¡No hay aire aquí! Estoy yendo demasiado rápido.*

Entonces supo lo que tenía que hacer: *confiar*. Eso era lo que
hacía cuando le sucedían cosas extrañas. Así es que llamó a Dios,
pues era perfectamente normal para él hacerlo. Jason siempre permanecía abierto a cuestiones del espíritu y consideraba que tenía
una relación cercana y personal con Dios. El apoyo y la guía que él
creía recibir a través de esa relación eran una parte importante de
su vida. Su fe y su confianza jamás menguaban. Él siempre creía
que Dios lo amaba y se mantenía cerca por si necesitaba algo. En
ese momento, Jason se desplazó a esa esfera de confianza.

De inmediato, el joven se sintió abrazado y envuelto por una
maravillosa sensación de seguridad perfecta. Era un sentimiento
cálido, un sentimiento de paz absoluta y calma profunda. Conforme su corazón gradualmente se fue desacelerando, miró maravillado a su alrededor.

¡Volaba por el aire! La oscuridad fue reemplazada por un es-
pectáculo imponente de estrellas y planetas y lunas y asteroides y
cometas y todas esas cosas del espacio exterior.

¿Perdí la conciencia? ¿Será mi imaginación? Se preguntó.

Mientras veía a las estrellas desplazarse a toda prisa, contempló maravillado la increíble belleza del espacio por donde viajaba
a una velocidad incalculable. Jason viajaba y viajaba, sin sentir
calor ni frío, solo consciente de las estrellas que se deslizaban en
silencio y quedaban atrás.

El joven pensó:

¿A dónde voy, y por qué me llevan hacia allá?

De nuevo recordó el amor de Dios y que debía confiar.

Fugazmente percibió que ya no avanzaba tan rápido, y se detuvo. Ante él estaba lo que parecía una enorme pared *dorada* que
brillaba con una luz de otro mundo. Era tan alta que no alcanza-
ba a ver la cima, tampoco podía ver sus extremos a la derecha o
izquierda. Su belleza era asombrosa, y Jason no podía creer lo que
contemplaban sus ojos.

Al sobrevolar por ahí, una especie de ventana panorámica lentamente adoptó forma frente a él, y se abrió en dos partes. Para

Jason fue como una puerta hacia la eternidad, por donde su alma podía volar hacia el cielo. Atrás de la ventana emanó un despliegue de matices centelleantes, más brillantes y espectaculares que cualquier otra cosa que hubiera visto. Estirándose para tocar el haz de luz de colores, Jason tuvo que cubrir sus ojos, pues se hizo tan brillante y hermosa esa luz que le era imposible mirarla.

Pero debo ver, gritó, y sintió que su corazón iba a estallar de amor.

Enseguida descubrió sus ojos y se dio cuenta de que había regresado a su cuarto.

Su retorno fue tan sorprendente como su partida. Pasmado, Jason estaba en el mismo lugar, su cuerpo no se había movido ni un ápice. Él supo claramente —sin dudar— que lo habían llevado de viaje: un viaje del alma que le ofrecía un destello de la sublime realidad. Puedes llamarle Dios, puedes llamarle Cielo, puedes llamarle como quieras. Jason sabía lo que había visto y experimentado. *Pero ¿por qué?*, se preguntaba, *¿por qué este viaje?*

Después pensó que quizá se lo preguntaría durante mucho tiempo.

Estaba en lo correcto.

Y no es que hubiese hecho a un lado sus intentos por encontrar una respuesta, pero las personas que pensaba podrían explicarle lo que había experimentado, normalmente respondían de la siguiente manera:

Debe de haber sido algo que Dios quiso que vieras, y cuando debas entender su significado, lo entenderás.

Así es que la pregunta permaneció en la mente de Jason. Algunas veces el recuerdo de su viaje, y el sentimiento de no saber exactamente lo que significaba, le hacían llorar. Se sentía triste por sí mismo y su falta de conciencia, pero incluso más por el mundo y la gente que, temía, nunca conocerían la maravilla y el gozo que él había experimentado.

Durante casi treinta años, Jason visitó ese recuerdo y retomó ese viaje en momentos silenciosos y privados.

Años más tarde, en pleno verano del año 1987, nuestro protagonista se detuvo en una tienda de arte para comprar algunas cosas. Empezaba a echar un vistazo cuando de reojo observó que un hombre se dirigía hacia él.

Un alto e imponente nativo norteamericano de cabello largo muy negro, con ojos oscuros y penetrantes, se acercó. Vestía un chaleco de cuero sobre una camisa de mezclilla. A un metro de Jason, se detuvo sin decir nada.

De un momento a otro, todo el ser de Jason se llenó con un pensamiento. Si un pensamiento puede llenar todo el cuerpo de alguien, impregnar cada célula, eso fue lo que sintió. A nivel celular, él supo: *Ese hombre tiene algo importante que decirme.*

Jason se sacudió la sensación, forzando su atención al encuentro presente.

—¿Podría hablar contigo un momento? —le preguntó el indio con voz honda y delicada.

Sintió una punzada de nervios, pero después recordó: *confianza.*

—Sí —respondió de manera ecuánime—, por supuesto.

—Quizá podemos salir.

Asintiendo, Jason lo siguió. Los dos hombres se sentaron en una mesa exterior de la cafetería que estaba al lado de la tienda. El extraño inhaló profundamente.

—De inmediato supe que eras tú.

Jason parpadeó sin decir nada. Su corazón se acompasó con la avidez de saber lo que el hombre tenía que decirle. Sin embargo, se sintió paralizado, parecía no poder encontrar las palabras para formular las preguntas que bullían en su interior. Mientras reunía sus pensamientos y se preparaba para preguntarle a este indio norteamericano quién suponía que era él, una imagen vino a su mente: la pared dorada. Y junto con esa imagen lo embargó una sensación de confianza en lo que estaba ocurriendo ahora, de confiar en la intuición. Solo… confiar.

En ese momento, Jason se sintió completamente cómodo. Sabía que él hablaría primero, sería él quien rompería el hielo y haría más fácil la comunicación, abriría el camino para lo que fuera que el otro hombre hubiese venido a decirle.

—Antes de que digas nada, ¿puedo contarte algo? Es una experiencia que tuve hace años, cuando era adolescente. Siento que de alguna manera debes saberlo.

El indio norteamericano sonrió.

—Por favor —dijo—, me gustaría escuchar.

Jason relató la historia de su viaje a través del tiempo y el espacio. No sabía por qué la estaba describiendo, solo sabía que debía hacerlo. Mientras hablaba, tuvo cuidado de no dejar fuera ningún detalle. Explicó todo lo que había visto y sentido, incluso expresó su tristeza por no haber podido comprender el significado de la experiencia. En un momento dado, a mitad de su relato, observó que una lágrima descendía por la mejilla del otro hombre.

Jason se sintió maravillosamente liberado cuando terminó. Ahora sabía por qué le había contado a un perfecto extraño su historia más íntima y personal. Sentía de manera instintiva que por fin recibiría un entendimiento más completo de lo que le había sucedido hacía tres décadas. El hombre ante él tenía las respuestas que estaba buscando. Jason no sabía cómo, pero lo sabía.

El nativo norteamericano habló despacio.

—Déjame decirte lo que sé —empezó a explicar, y Jason se inclinó hacia delante con interés.

"Soy Gary Winter Owen de la tribu maricopa, trabajo aquí en la tienda de arte. Un día, no hace muchas semanas, estaba ayudando a un cliente cuando, de repente, me sobrecogió la sensación de que debía apartarme y estar solo. No tenía sentido porque nuestra interacción era muy buena, pero no podía sacudirme la sensación. Decidí disculparme y fui a la despensa en la parte trasera.

"Fue entonces cuando escuché una voz en mi cabeza diciéndome: *Toma una pluma y escribe*. Así lo hice. No sabía lo que tenía que escribir, entonces escribí lo primero que vino a mi mente. Cuando leí lo que había plasmado en el papel, no lo entendí. De todas maneras, supe que era importante.

"Después, la voz me dijo: *Conocerás al hombre para quien esto fue escrito, y sabrás que es él cuando lo veas.*"

Miró fijamente a Jason.

—Le dije a mi abuelo sobre esta voz —continuó—. Le mostré el mensaje. Mi abuelo dijo que cuando encontrara a este hombre, debía llegar a conocerlo y aprender de él.

Aunque Jason sintió un poco de incomodidad, Gary siguió.

—No puedo olvidar el mensaje. Parecía algo tan importante y tan bello dentro de su misterio. Conseguí un rollo de pergamino y lo copié ahí.

"Hoy, cuando te vi…, escuché nuevamente la voz."

Hubo una pausa larga. Los ojos de los dos hombres se encontraron.

—Me dijo que eras el elegido.

Jason soltó un suspiro.

—Cuando te vi supe que tenías algo que decirme —dijo apaciblemente—. Algo que he querido escuchar durante treinta años.

Gary asintió.

—Es verdad —accedió.

A continuación, le entregó a Jason un rollo de corteza hermosamente confeccionado, el cual llevaba un listón. Una parte de Jason no quería abrirlo para no estropear su belleza, pero el resto de su ser tenía que saber lo que decía.

Con manos temblorosas, deshizo el moño y volteando a ver los ojos oscuros —casi negros— del indio, Jason supo que estaba recibiendo un regalo muy especial de alguien que se convertiría en su amigo.

Empezó a leer la elegante y fluida caligrafía pintada en la corteza.

Con honestidad, integridad
y amor en mi alma,
llevé a este hombre, este gentil hombre,
a una pared dorada.

El corazón de Jason se detuvo. Volteó a ver a Gary, quien solo sonreía, y luego en silencio hizo un gesto con la cabeza para que Jason continuara.

Una luz tan brillante que llena la noche,
un brillo que conocen los ángeles,
pues en la tierra que hemos encontrado,
empieza a crecer un amor.

Jason recordó el sorprendente rayo de luz de hermosos colores.

Se eleva y solidifica
con cada sonrisa y lágrima.
Y mientras esperamos, nos comunicamos
para ahuyentar el miedo.

Hablamos de la vida, cantamos las batallas,
compartimos el dolor olvidado.
Y aunque damos,
inquisitivos permaneceremos.

Pues no sé por qué, este hombre lloraría.
Tu amor es mío... ¡mira!
Así es que llevé a este hombre, este hombre especial,
hacia una pared dorada.

Jason guardó el pergamino, y entonces comprendió que no volvería a derramar otra lágrima de tristeza ante lo que él y otros no pudieran conocer por completo. En ese momento entendió que *sabía* (y que *todos podían saber*). La vida es alegre y, como siempre, dirigida por Dios. Y el amor de Dios era suyo, no solo para contemplarlo, sino también para compartirlo.

La vida de Jason hoy tiene un profundo sentido, lo que le alienta a seguir adelante. Su objetivo autoproclamado es llevar paz y amor al mundo.

Él hace esto compartiendo un mensaje simple, pero poderoso. Confiar.

Confía en ti mismo, pues la sabiduría yace dentro de ti.

Confía en el otro, pues todos somos uno.

Confía en la vida, pues te sorprenderá, te deleitará y te sustentará.

Confía en Dios, pues Dios te ama perfectamente, y te ayudará todos los días de tu vida, y te llamará a casa cuando tu trabajo aquí haya terminado.

Jason entendió que era un maestro, y Gary, un extraño en una tienda de arte, sería su primer alumno. Pero solo el primero, ya que habría muchos más que aprenderían que no *tenían* nada más que aprender, pues solo debían recordar su sabiduría infantil.

Hermosos niños… bailando en el bosque.

¿Fue real el viaje de Jason? ¿Es posible para los seres humanos "viajar" a otras esferas? ¿En verdad podemos dejar nuestros cuerpos —o, en este caso, permanecer en ellos— y experimentar realidades alternas?

Conversaciones con Dios II dice:

> Tú eres un Ser Divino, capaz de tener más de una experiencia al mismo "tiempo", y capaz de dividir tu Ser en muchos "seres" diferentes, dependiendo de tu elección.
>
> Eres un ser de Proporción Divina, que no conoce limitación alguna. Una parte de ti elige conocerte como tu Identidad, la cual experimentas en el presente. Sin embargo, esto para nada es el límite de tu Ser, aunque tú creas que sí.

¿Pero existe tal cosa como una "ventana hacia la Eternidad", a través de la cual podemos contemplar y de la que podemos recuperar recuerdos?

La respuesta es sí, clamorosamente sí, y lo afirmo a partir de la experiencia.

En la tarde del 8 de enero de 1980, quien entonces fuera mi esposa y yo tuvimos una discusión espantosa. Sin lugar a dudas fue mi culpa, por lo general siempre lo era en aquella época. Convivir conmigo no era muy fácil; quería ser distinto, solo que parecía estar imposibilitado para llegar a la meta en ese aspecto.

Tan insignificante fue el asunto que ni siquiera recuerdo el motivo de nuestra pelea, quizá se trataba de algo como a quién le tocaba sacar la basura. De lo que sí me acuerdo es de lo que pasó a continuación, pues representó un acontecimiento que jamás olvidaré.

Salí del cuarto de la televisión con fuertes pasos y dejé a mi esposa en medio de nuestra discusión acalorada, desacreditando sus argumentos con un gesto de la mano y desapareciendo en la recámara principal después de azotar la puerta.

Me lancé a la cama lleno de frustración y entonces, viendo hacia el techo, empecé a llorar. *Jesús*, pensé, *¿por qué no nos podemos llevar bien? ¿Qué se necesita para que dos personas se lleven bien?*

Ya había fracasado en dos matrimonios previos, y no podía descifrar qué era lo que estaba haciendo mal. *¿Qué se necesita?* Le pregunté a Dios. *¿Qué se necesita para ser feliz?*

Volteé el rostro hacia la almohada y lloriqueé:

Por favor, Dios. Ayúdame. No quiero ser así, un hombre que discute por todo. Ayúdame. Ayúdame...

Exhausto, me quedé dormido rápidamente. Fue como si alguien hubiese jalado un cable y drenado toda la energía de mí. Solo me dejé ir y sentí hundirme a fondo en el colchón y la almohada. Recuerdo el último pensamiento que tuve antes de dormirme.

Este va a ser el sueño más profundo de mi vida.

Lo fue.

En un momento, en medio de este —pudo haber sido una hora o un minuto o media noche, no sé—, desperté debido a una extraña sensación, la de ser aspirado de la cama. ¿Alguna vez tuviste la sensación de estar cayendo de la cama? Bueno, fue lo mismo, pero al revés: *hacia arriba*, no hacia abajo.

Déjenme ver si puedo explicarlo de otra manera. Imaginen una mosca muy quieta en una mesa; alguien llega con una aspiradora encendida y con el tubo logra succionar a la mosca. *La sensación que la mosca tendría es exactamente lo que yo percibí.* Estaba acostado sobre mi estómago, y sentí justo como si me hubieran jalado del colchón en una fracción de segundo. La experiencia me quitó el aliento.

Mis ojos abiertos estaban atónitos, y más al ver que yo flotaba sobre mi propia cama contemplando lo que parecía ser un gran montón de barro al que habían modelado, tallado y esculpido para que se viera igual a mí. Pero formulé que no era yo, puesto que yo estaba *arriba, viendo hacia abajo*. Además, la forma familiar en la cama no tenía vida, no irradiaba energía vital.

Mi primera toma de conciencia importante en esta aventura acababa de producirse en ese instante.

Dios mío, ¡yo no soy el cuerpo! Me dije a mí mismo. *Yo soy esto. ESTO. Yo soy esta… entidad, esta… energía… que ahora está OBSERVANDO ese cuerpo.*

Tan elemental como esto pueda sonar, en su momento fue una gran revelación para mí. El impacto de esa revelación fue enorme, sin duda porque no era un simple concepto o una teoría, era algo que yo estaba *experimentando* en el acto.

Tan pronto como absorbí esta conciencia, sentí que me volteaban, así es que ahora estaba boca arriba, y después en un soplido volé a través del techo lejos de ahí.

De inmediato me encontré en un lugar oscuro que parecía como un túnel, luego sentí que algo me empujaba o jalaba por ese túnel a una velocidad enloquecida. No tuve sensación de miedo durante el recorrido, solo la percepción de increíble velocidad.

Al poco rato pude detectar en lo alto una pequeña mancha de luz, y tuve la certeza de que era hacia ahí a donde me abalanzaba. La manchita creció y creció hasta que sentí que salía disparado del túnel hacia la luz misma.

Algo muy interesante es que, a pesar de estar en la luz, parecía estar también fuera de ella, contemplándola. Recuerdo con gran sentimiento que era casi imposible de ver, debido a su hermosura.

No sé cómo explicar esta condición de hermosura de la luz, porque la luz es luz, ¿cierto? Pero esta luz era bella, quizá por como se *sentía*. No lo sé. Solo sé que yo no era capaz de soportar esta belleza. Lo que quiero decir es que era demasiado grande, demasiado gloriosa para que mi conciencia humana la soportara. Me sentí pequeño, avergonzado. Recuerdo haber pensado...

No, yo no. No merezco estar en esta luz. No merezco ver esto. Con todo lo que he hecho, con todas las marcas negras de mi alma, con todas las veces que me he fallado a mí mismo y les he fallado a otros, no lo merezco.

Después me sentí humillado, porque pensar en todas esas cosas me hizo recordarlas con detalle. Y lloré de vergüenza y culpa. El llanto me estremeció. ¿Por qué no he podido hacerlo mejor? ¿Por qué he tomado decisiones equivocadas tantas veces? Me sentí muy arrepentido, más de lo que jamás recordaba haber estado antes. Y después me llené —en ese mismo momento, me llené— de un sentimiento que no puedo describir. Cuando busco palabras, parece que no hay ninguna que encaje. Cuando lo pienso ahora, quiero decir que es como si me hubieran dado paz verdadera y total por primera vez en mi vida. Sentí como si un dedo gigante y gentil me hubiera hecho levantar la cabeza con un toque en la barbilla. Y escuché estas palabras que retumbaron en mi corazón:

Eres perfecto así como eres. Eres hermoso, más allá de lo descriptible, y te amo sin condición alguna. Eres mi hijo, con el que me siento complacido.

Me sentí arrullado, abrazado por la luz que ahora me rodeaba haciéndome flotar suavemente en su centro. Me abandonó la tristeza e incluso el arrepentimiento. Me sentí curado, completo. Mi alma se llenó de gratitud, mi corazón reventaba de amor.

Después ocurrió mi segunda toma de conciencia: *Jamás seré perdonado por ninguna cosa que haga.* No importa lo triste que esté sobre cualquier acción o decisión, no importa lo arrepentido, no seré perdonado. *Porque el perdón no es necesario.* Soy un hijo de Dios, progenie de lo Divino, y no puedo lastimar ni dañar a lo Divino de ninguna manera, pues lo Divino es absolutamente inmune al daño, al dolor. Siempre seré aceptado en el corazón y la casa de Dios, y se me permitirá aprender de mis errores; se me permitirá acercarme más y más a Quien Realmente Soy, sea cual sea el proceso que elija, incluso si significa hacerme daño a mí y a otros, pues mi ser y el de otros tampoco puede ser dañado. Solo lo creemos así.

El impacto de esa revelación fue enorme, sin duda porque no se trataba de un concepto o una teoría, era algo que estaba *experimentando*, justo ahí.

Después de esta toma de conciencia me encontré en una tercera realidad, velozmente rodeado por un millón, no, cien millones de pequeñas... *partículas de energía*; es la única forma como puedo describirlas. Estaban en todos lados: frente a mí, a mi izquierda, atrás, a mi derecha. Parecían como pequeñas células o glóbulos, cada uno con su forma y color propios.

¡Y los colores! Dios mío, los colores eran sorprendentes, increíblemente hermosos, tanto que te quitaban el aliento. Los azules más azules y los verdes más verdes y los rojos más rojos, y las más maravillosas combinaciones y matices que jamás hubiera visto. Y eso, en especial para mí, es demasiado, pues verán, soy daltónico, así que esta era una visión espectacular.

Estas células de color estaban bailando frente a mí y a mi alrededor. Danzaban ahí, formando un manto centelleante de belleza que cubría todo (que *era* Todo).

Supe entonces que lo que estaba viendo era la Esencia de Toda la Vida. Era la vida en su forma sub-sub-submolecular, en sus partículas más pequeñas, en su base, en su raíz. Y después atestigüé algo fascinante.

Mientras observaba estas células de color magnífico danzar y brillar ante mí, ¡me di cuenta de que cambiaban! Parecían aparecer y desaparecer, ser tragadas por sí mismas y volver a emerger, en una forma y color diferentes. Y conforme cambiaban formas y colores, las células a su alrededor cambiaban formas y colores también, para poder acomodarlas y complementarlas. Y las células alrededor de ellas hacían lo mismo, como lo hacían las células alrededor de *aquellas* células, y así sucesivamente... y me di cuenta de que todo esto era un rompecabezas que cambiaba y se adaptaba constantemente, siempre interconectado. Un mosaico pulsante y vibrante de energía pura.

Todo mi ser se llenó del deseo de tocar esas partículas indescriptiblemente bellas, de volverme uno con ellas. Quería unirme, quería fundirme en ellas. No sé por qué. Era un llamado interno —un deseo interior— que sentía en mi esencia.

Traté de avanzar, de acercarme, pero con cada paso que daba el mosaico retrocedía. Pensé que podría hacerlo sigilosamente, fingir un movimiento hacia delante y luego, de repente, salir disparado hacia un lado. No funcionó, no pude engañar a la *mátrix*. Entendía cada uno de mis movimientos; en realidad, los *predecía*.

Simplemente me era imposible acercarme, y empecé a llorar. La tristeza de este rechazo y prohibición era más de lo que pensé que podía soportar. Y después la tristeza desapareció en forma abrupta cuando ocurrió mi tercera toma de conciencia: ¡no podía acercarme a la energía porque *yo* era la energía! Cuando me movía, *ella* se movía. Por supuesto: ¡yo ya estaba fundido en ella!

Todas las cosas son Una Cosa. Solo hay Una Cosa, y no hay Nada que no sea Parte de esa Única Cosa.

El impacto de esa revelación fue enorme, sin duda porque no era solo un concepto o una teoría, era algo que yo estaba *experimentando*, justo en ese momento y en ese lugar.

De nuevo, tan pronto como lo entendí, me sacaron de esa realidad. Ahora me encontraba de cara a un libro enorme. Se veía tan grande, era el libro más grande que hubiera visto jamás. No, el doble de grande. Tres veces más grande. Lo vi tan grande como cien directorios telefónicos de Manhattan pegados. Y en cada página —*en cada página*— había suficientes letras diminutas como para llenar mil enciclopedias.

Mientras estaba parado frente a este volumen descomunal, la voz que escuché cuando me sentí abrazado por la luz regresó a mí. Dijo de la manera más amable posible, casi de manera indulgente sin ser burlona, lo siguiente:

Está bien, Neale, está bien. Toda tu vida has buscado respuestas. Has buscado y buscado y tu búsqueda ha sido real, ha sido sincera, ha sido una búsqueda honesta de la verdad. Así es que toma, aquí están las respuestas.

En eso, las páginas del libro empezaron a pasar una tras otra a gran velocidad, como si hubiesen sido abanicadas por un pulgar gigante, o sopladas por algún viento sagrado. Pasaron rápidamente, y el documento fue expuesto en su totalidad, página por página, en no más de un nanosegundo. Sin embargo, fui capaz de leer y absorber todas las palabras en cada página.

Y después lo supe. Supe todo lo que tuvo que saberse, lo que tiene que saberse y lo que tendrá que saberse. Entendí la cosmología del universo y el secreto de toda la vida. Vi la simplicidad de todo ello, la absoluta y elegante *simplicidad*.

El impacto de esa revelación fue enorme, sin duda porque no era un simple concepto o teoría, era algo que yo estaba *experimentando*, justo en ese momento y en ese lugar.

Esa fue mi cuarta toma de conciencia. Y recuerdo haber dicho, cuando la página final de libro pasó volando, y la pesada contraportada se cerró…

Por supuesto.

Fue todo lo que dije. Sencillamente…

Por supuesto.

Después me desperté. Había regresado a mi cuerpo, el cual se sentía más pesado que nunca. Parecía como si el meñique pesara una tonelada. Quería alcanzar el buró para buscar pluma y papel, y así poder escribir todo lo que había experimentado, para poder recordarlo, para poder demostrar que había tenido esa experiencia, pero no pude mover mi brazo. Lo único que pude hacer fue parpadear.

Entonces, una última vez, mi Voz Especial que había estado viniendo hacia mí durante este sueño, este viaje, este, este… lo que *haya sido*, dijo:

No es necesario. ¿Crees que olvidarás lo que te sucedió? Sin embargo, no puedes demostrarlo, y tampoco necesitas hacerlo. La Verdad no puede ser probada ni desmentida. Simplemente es.

Con eso, me quedé dormido.

A la mañana siguiente desperté en un estado de euforia. Danzando hacia la regadera, abrí la llave y me pegó un chorro de agua helada, pero ni siquiera me importó. De hecho, el frío se sintió espectacular, vigorizante. Después calenté el agua y me paré ahí, observando que caía como una cascada desde la regadera a mi cuerpo.

Sentí que era Uno con el agua, Uno con los azulejos de la regadera; sentí que era Uno con todo, y me imaginé que así debía ser la experiencia con drogas alucinógenas. Abrí mi mano y la presioné contra la pared esperando poder atravesar los azulejos, porque podía *ver las moléculas del azulejo y las moléculas de mi mano*, y me di cuenta de que para atravesar las paredes solo era cuestión de colocar mi materia sólida donde la materia sólida de la pared *no estaba*. Esto era fácil para cualquiera con *entendimiento*, es decir, con capacidad de *ver*.

Seguí remojándome en la regadera, y entonces luché para recordar lo que había visto y leído en el libro. Lo nombré Gran Libro, y luchaba ahora por recordar aunque fuera una palabra.

Entonces, la voz me dijo...

No debes saber.

...Y me hizo entender que si trataba de llevar en mi mente consciente todo lo que se me había permitido ver, "freiría" mis circuitos. Sería demasiada, cómo explicar esta... *electricidad*... demasiada *energía*... para soportarla en un pequeño espacio físico como mi cerebro.

Después, se me dijo:

Simplemente sabe que sabes. Y sabe que todos los demás saben, también. Y que todo lo que tienes que hacer cuando necesites recordar una cosa particular en un momento particular es invocar la sabiduría dentro de ti. Entonces, recordarás.

El sentimiento que me dejó era demasiado increíble como para describirlo. Me quedé en la regadera durante veinte minutos, y fue como si estuviera consciente de cada gota de agua que descendía a través de mí. Cuando salí, el aire más fresco del otro lado de la cortina le dio la bienvenida a mi cuerpo, como si me hubieran derramado una botella de vida fresca y diamantina. Experimentaba un hormigueo y mi psique estaba completamente abierta. Recuerdo que me sequé y pensé lo extraordinario que era poder sentir cada fibra en esa toalla.

Todo el mundo en el trabajo ese día se preguntaba qué "traía". Una persona me dijo:

—¿Qué te pasó? Te ves veinte años más joven.

Yo dije:

—¿En serio?

—Deberías ver tu cara —contestó ella.

La sensación de *estar en este mundo, pero no ser parte de él* permaneció conmigo durante semanas, desvaneciéndose lentamente conforme el tiempo pasó, pero quedándose a cierto nivel por bastante rato. Y durante todos los años desde aquel día he podido recuperar esa sensación, y la lacrimosa alegría de esa experiencia, solamente al invocarla.

Es mía, me la puedo quedar, la puedo conservar, la puedo volver a experimentar cuando quiera. La Voz estaba en lo correcto, y jamás lo olvidaré.

Y lo que puedo decirte a partir de la experiencia es esto: los viajes del alma, como el que emprendió Jason Gardham hace cuarenta años, no solo son posibles, sino que ocurren todo el tiempo. Todos los tomamos. Todos nosotros. Pues ni una sola alma permanece con un cuerpo, sin liberación, desde el nacimiento hasta la muerte.

Cuando un alma abandona un cuerpo, sea en un sueño, durante lo que algunas personas llaman "trance", a través de la meditación, o en una simple caminata en el bosque (o al entrar en una habitación), no hay nada que temer ni de qué preocuparse o avergonzarse, y tampoco debe sentirse renuencia a hablar de ello con otra persona.

De hecho, es bueno hacerlo, pues son Momentos de Gracia, y al compartir nuestra experiencia, tocamos el mundo con su maravilla y su magia y su poder para cambiar las vidas.

Como le pasó a John Star, quien tuvo una experiencia muy interesante un día a la orilla del Lago Michigan…

13

La tierra de las sombras

Sentado en la mesa de la cocina, con la cabeza entre las manos, John Star no le había dado ni una probada a su ya frío desayuno.

—¿No tienes mucha hambre hoy, verdad, John? —le preguntó su madre.

Durante los últimos días, ella había notado que John arrastraba los pies por la casa, algo raro, pues la apatía no lo caracterizaba.

—Mamá, siento que no puedo entender las cosas —John decidió confiar un poco en ella, aunque no quería preocuparla—. Parece que no voy a ningún lado, y desde hace un tiempo ciertas preguntas rondan una y otra vez en mi cabeza… como, ¿qué es lo verdaderamente importante? ¿Por qué estoy aquí? ¿De dónde provengo? —dijo, volteando a ver a su madre de manera suplicante—. No entiendo por qué me siento tan inquieto, y a la vez como que no tengo mucha energía.

Ella se sentó junto a él…

—Cariño, estas son preguntas con las que todos debemos lidiar en la vida, y solo tienes que darte un poco de tiempo. Después de todo, acabas de salir de la preparatoria, así es que cuentas con el verano para reflexionar. Te tomará un poco de tiempo entender las razones; y recuerda, la mayoría de las personas jamás encuentra esas respuestas.

John suspiró. *Querida mamá,* pensó, *sus intenciones son buenas,* pero eso realmente no le ayudaba mucho. Su madre de repente sonrió.

—¿Por qué no vas a nadar? Eso siempre te hace sentir mejor.

John pensó:

¿Por qué no? No tengo nada más que hacer. Y me vendría bien algo de ejercicio.

El Lago Michigan está caliente en esa época del año. Aquel día, bajo un cielo lleno de nubes, el agua se veía más gris que azul. John era un buen nadador, siempre se había sentido cómodo en el agua, desde que era niño, y durante años compitió en el equipo de natación de la ciudad. Le gustaba adentrarse en el lago, más allá de los rompeolas, a casi un kilómetro de la orilla, donde el agua es más fresca y clara.

Al empezar con un estilo libre y suave, que cortaba el agua a una velocidad rápida y uniforme, John sintió que entraba en ese estado de conciencia que siempre le había parecido tan tranquilizador: su mente se aquietaba y se volvía uno con el agua, deslizándose sin pensamiento alguno, impulsado solo por la fuerza de sus brazos y piernas, observando las formas y sombras acuosas abajo de él. Este es un lugar que los atletas llaman la Zona.

Pero aquel día en particular el agua estaba agitada. Cuando John volteó su cabeza para respirar, inhaló una ola que venía en su dirección, la cual rompió su concentración, y mientras tosía y trataba de recuperar la respiración, otra ola le dio en la cara. Aunque era un excelente nadador, John pensó que quizá estaba en problemas. Se encontraba a casi un kilómetro de la orilla, y se dio cuenta de que bajo estas condiciones tal vez tendría dificultad para nadar. Dio vuelta para regresar a la orilla.

John había avanzado solo unos cuantos metros cuando su cabeza empezó a zumbar y comenzó a sentirse mareado; de pronto, escuchó un fuerte chasquido detrás de él. Sin advertencia, el agua se tranquilizó en su totalidad. John dejó de bracear y volteó hacia arriba. El cielo estaba claro y el sol brillaba intensamente; el lago adquirió un color azul profundo.

¿Qué diablos está pasando? John experimentaba una total confusión mientras contemplaba la claridad del cielo. El sol parecía más brillante que lo habitual, pero él podía verlo sin entrecerrar los ojos. De pronto tuvo la sensación de que, de algún modo,

lo estaban llamando. Volteó hacia abajo y contempló una visión increíble.

Allá abajo estaba su cuerpo, todavía nadando hacia la orilla, moviéndose tan directa y rápidamente como lo haría un bote de motor. Vio la escena sobrecogido. Si él era aquél, y su conciencia estaba aquí, ¿dónde se encontraba *realmente* y qué le estaba pasando?

Una luz parecía venir desde atrás. Era una luz peculiar, una luz con... *sentimiento*. Volteó para verla, ¡era deliciosa! El haz lo bañó con una calidez maravillosa, y John la absorbió como una esponja. Una sensación de libertad total se apoderó de él en ese momento. Fue como si toda la presión de una vida hubiera sido liberada; la tapa que mantenía tanta tensión adentro había sido levantada para dejarlo respirar de nuevo.

La energía parecía fluir hacia él, liberando y suavizando partes suyas que ni siquiera sabía que existían. Todo su ser estaba emocionado con un increíble sentimiento de gozo. Él sabía que, en algún lugar, en algún momento, había experimentado este sentimiento, pero no podía recordar cuándo. Era como... *volver a casa*.

Desde su percepción, el tiempo también se suavizaba. Hasta donde podía recordar, los minutos, los días y los años de su vida parecían estar fijos, como las marcas en una regla. Ahora la vara de medir se estaba volviendo flexible y, como una liga, se estiraba y se encogía.

Podía ver acontecimientos de su pasado, examinarlos con mayor claridad y más detalle que cuando habían ocurrido originalmente, y prolongar estos recuerdos por un tiempo ilimitado. Era como si no hubiera pasado nada de tiempo.

John fue hacia delante y hacia atrás, descendiendo hacia los episodios más recónditos de su historia, y de regreso a la luz. ¿O era que el mundo que había conocido estaba alejándose? La vida que suponía era única —las certidumbres, las dudas, el orgullo y la culpa, los placeres y los miedos— se desvanecía. Lo único que permanecía era la luz y la maravillosa sensación de bienestar que contenía.

Sintió como si despertara de un sueño profundo, intenso y detallado, y ahora estuviese alerta y el sueño empezara a diluirse.

Conforme sus ojos empezaron a ajustarse al resplandor, John pudo distinguir formas en la luz. ¡Había gente parada a su alrededor! Gente que conocía y amaba; es más, el lugar donde se encontraba le era enteramente familiar.

—¿Estás teniendo un bonito viaje? —le preguntó uno de sus amigos.

Los otros soltaron la carcajada, pues estaban haciéndole una broma. John entendió intuitivamente que le estaban preguntando sobre su estadía en la Tierra, y él se unió a las carcajadas.

¡Qué bien se sentía reírse tan libremente! John se sentía vivo por completo otra vez, con una existencia que estaba más allá del principio y del fin, pues era eterna.

El mundo cósmico adonde había entrado era ahora tan sólido y real como el mundo que había dejado atrás, pero la luz aún era visible. Era una luz que tenía vitalidad y sentimiento. Se centraba en cada cosa viva, así como el sol puede concentrarse en un punto con una lupa. También había colores, no solo los colores con los que estaba familiarizado en la Tierra, sino una gama de colores, algunos de los cuales jamás había visto.

Colores desplegados en originales patrones geométricos rodeaban a sus amigos y a toda cosa viviente; colores y patrones únicos, impregnados de sonido (de infinitas octavas de sonido). Era como si los colores pudieran *escucharse* en forma muy sutil, casi imperceptible, pero alcanzaban el infinito.

Superpuesta en esta tonada vasta y dadora de vida estaba la melodía creada por el sonido individual de cada cosa viviente. Luz y sonido y color y patrones geométricos se combinaban en una totalidad de perfección armónica.

Quizás habían pasado años, o a lo mejor horas o minutos, no había manera de saberlo. *Ser* era la única realidad. Una condición de ser inseparable del momento, inseparable del eterno *ahora*, inseparable de la vida que había en todos los demás seres.

Aunque este lugar era tan sólido y real como el mundo que había dejado atrás, el tiempo y el espacio no eran un obstáculo. Era un lugar donde no había opiniones, conclusiones o creencias; un lugar donde solo había una belleza y una alegría impresionantes.

Las imágenes en la otra vida de John empezaron a parpadear en su mente (al principio fugaces, pero cada vez más fuertes y claras). Visiones de la gente que le era querida se hicieron nítidas, visiones de las cosas que quería ver y hacer. Finalmente, desde algún lugar recóndito dentro de él, una voz poderosa emergió:

> *Has visto suficiente de la eternidad.*
> *Todavía no es tiempo de que te quedes.*
> *Regresa ahora a la Tierra de las Sombras*
> *para que juegues con las criaturas mortales.*

John elevó la cabeza para ver lo que estaba produciendo un sonido peculiar. Pequeñas olas rompían al borde de un lago tan quieto como un espejo, haciendo sonar las piedrecillas que delimitaban la orilla. Él estaba acostado en la arena del Lago Michigan, a solo unos cuantos centímetros del agua. Se sentía increíble, como si hubiera tenido el mejor descanso de su vida. John se paró y vio a su alrededor.

Al oeste, pudo ver el contorno de Chicago reflejándose en el lago, y cuya silueta estaba delimitada por un maravilloso sol de color rojo y naranja. El azul del cielo era más intenso que ningún otro, los árboles eran más verdes. Fue como si alguien hubiera levantado un velo. No sabía si se había ido por años o por un momento. Como un hombre que después de vivir una existencia larga y plena regresara al lugar de su juventud para contemplar de nuevo el escenario alguna vez familiar, John vio que todo era igual y, sin embargo, diferente.

¿Todo fue un sueño? Se preguntó. *¿O experimenté lo que es estar real y verdaderamente despierto, y ahora estoy soñando otra vez?* De alguna manera, sabía la respuesta.

Se dirigió a casa, con un poco de frío, pues la brisa envolvía su húmedo traje de baño. John ya no se preguntaba sobre su lugar en el mundo, pues había visto su espacio en el cosmos, y era perfecto.

Entró por la puerta trasera y encontró a su madre entretenida trabajando en la cocina.

—Hola, mamá —canturreó.

—Hola, cariño. ¿Qué tal tu baño en el lago?

—¡Cósmico! —contestó John con una amplia sonrisa—. ¡Cósmico!

Lo que me sorprendió cuando escuché por primera vez la historia de John fue lo similar que era a la de Jason y a la mía. A cada "visita" al "otro lado" o "a un reino mayor", o como quieras llamarle, la acompañaron visiones formadas por una hermosa luz y colores espectaculares.

John y yo vimos energía en forma de patrones geométricos, cada patrón único, cada patrón original. Además, John experimentó *sonido* con los patrones de energía, algo que otras personas también han informado. Durante mucho tiempo los místicos han sugerido que *Om* es el sonido distintivo del universo, de la Vida Misma.

Lo que siempre concluyo cuando escucho experiencias como estas, o recuerdo la mía, es el primer mensaje importante que recibí en las más de 1 500 páginas de los libros *Con Dios*: Todos somos uno.

Todos y todo estamos hechos de los más exquisitos bloques de construcción que puedas imaginar. Yo he visto esa Unidad, la he experimentado, sin embargo, no tienes que haberla visto para integrarla a tu realidad; solamente debes sentirla en tu corazón y acogerla en tu alma. Y eso es fácil de hacer, pues como el amor, se trata de una *decisión* y no de una reacción (aunque la mayoría de la gente piense lo contrario).

Otra cosa que me impactó de la experiencia de John fue la certeza de que "ser es la única realidad". Esto está en hermosa armonía con las últimas tres declaraciones hechas en *Conversaciones con Dios I*:

1. Todos somos uno.
2. Hay suficiente.
3. No hay nada que tengamos que hacer.

Todo lo que es, es Ser. La diferencia entre el "ser" y el "hacer" es como la diferencia entre la noche y el día. La mayoría de los humanos está extremadamente involucrado en vidas de "hacer". Las personas corren de un lado para otro haciendo esto y aquello, y con lo único que terminan es con una gran pila de pendientes.

En los siguientes cincuenta años veremos en este planeta un nuevo tipo de humano, un Nuevo Humano, que no provendrá del "hacer", sino del "ser" en cada momento. Muchas personas están haciendo esta transformación desde ahora. Es posible hacerlo, incluso en el mundo cotidiano. No tienes que huir y vivir en una caverna durante veinte años, o meditar nueve horas al día. Y no es que esas cosas sean malas, solo son prescindibles.

No es necesario recluirte para sentir el gozo del Ser expresado como tu ser, en ti y a través de ti. Puedes experimentar esta sensación mientras realizas tu trabajo en el mundo, de hecho, *debido* al trabajo que realizas en el mundo.

Además, puedes usar el proceso de desplazarte hacia el Ser como una herramienta para encontrar la Forma de Vida Adecuada. Todo lo que debes saber es qué es lo que quieres "ser". Es decir, ¿qué estado o estados del ser quieres experimentar y expresar en ti, como tú y a través de ti? Después de tomar esta decisión, rechazarás cualquier tipo de actividad en el mundo (y ciertamente cualquier ocupación) que no exprese esto.

Un pequeño libro que puede leerse en cuarenta minutos, *Bringers of the Light* (Los portadores de la luz), explica específicamente cómo funciona este proceso, y cómo puede llevar a una persona al trabajo de sus sueños para crear por fin la Forma de Vida Adecuada. Escribí este pequeño libro como respuesta a cientos de peticiones de personas que habían leído sobre el Ser en los libros *Conversaciones con Dios* y querían entender más al respecto.

Hay miles de historias de gente que ha experimentado el Ser a través de viajes extracorpóreos, como los relatos que contamos

Jason, John y yo. Quizá tú conozcas a alguien que ha vivido un momento tal; a lo mejor tú mismo lo has hecho. He incluido estas historias aquí para que la gente que ha tenido dichas experiencias pueda deshacerse de cualquier sentimiento persistente y negativo por lo anormal de la vivencia. Este tipo de experiencias, repito, son muy comunes y *bastante* normales.

Sin embargo, no todos los Momentos de Gracia tocan a la puerta de nuestra alma con paquetes tan espectaculares, algunos vienen escondidos en cajas pequeñas. No quisiera que te sintieras excluido, pensando que jamás tuviste un verdadero Momento de Gracia en tu vida, si no has tenido alguna de esas Experiencias Relámpago.

La persona que ha vivido experiencias como las que Jason, John y yo describimos, no es más especial que las demás, ¡aunque quizá sí un poco más inquisitiva! En efecto, con frecuencia me pregunto si es la persona que se hace interminables preguntas interiores sobre las realidades cósmicas la que atrae el tipo de Momentos de Gracia, de los que hablamos aquí. Sin embargo, ese no es el único tipo, y tampoco está garantizado como el más eficaz. Muchas personas han regresado de tales viajes internos con más preguntas que respuestas, ¡y más confundidas que antes!

Dios encuentra muchas maneras de crear un Momento de Gracia, y no se necesita una experiencia relámpago para producir un resultado electrizante. El resultado de un Momento de Gracia puede ser un enorme cambio de vida, o un entendimiento sencillo y suave. Ambos pueden tener un gran y duradero impacto en tu percepción de la existencia.

Deja que Margaret Hiller, de Ashland, Oregón, te cuente una pequeña historia con sus propias palabras…

14

Ver lo sagrado en cada momento

*U*n gran maestro me enseñó que el viaje en su totalidad es sagrado, no importa la forma que adopte. A mi maestro lo llamo san Antonio, y es un pequeño niño.

Anthony empezó su propio viaje en una forma muy precaria, pues nació adicto a las drogas y sus abuelos tomaron la custodia adoptándolo de inmediato. Sin embargo, los doctores dijeron que se necesitaría un milagro para que Anthony sobreviviera.

—¿Qué quieren decir con un milagro? ¿Qué tipo de milagro? —preguntó su abuela.

Los doctores le dijeron que para que este bebé viviera, alguien tendría que cargarlo casi sin interrupción durante los siguientes dos años de su vida. Ese era el tiempo requerido para que la crianza "cuajara", y ese pequeño cuerpo sanara.

Sin vacilar, la abuela dijo:

—¡Por Dios, *yo* puedo hacer *eso*!

Y lo hizo.

Anthony vivió con sus abuelos en un entorno maravilloso. Fue abrazado por el amor y se le dio el regalo de estar con gente que era muy espiritual. Desde su primer día en la Tierra, el amor incondicional y la espiritualidad fueron parte de su vida. Naturalmente, él floreció en esta atmósfera y fue muy feliz. Anthony no podía saber que por segunda vez en su corta vida habría un cambio drástico, y una mudanza a una nueva familia.

Cuando Anthony tenía seis, su abuela enfermó gravemente de cáncer y murió. Como yo era del grupo de apoyo de su abuela, pasaba muchas noches en su casa, y gran parte de ese tiempo estaba con Anthony. Por supuesto que él se sentía triste por lo que estaba pasando, pero su firme entendimiento espiritual —incluso a los seis— le hizo ver que su abuela iría a un lugar maravilloso, así es que encontró una manera de sentirse feliz por ella.

Unos cuantos meses después, su abuelo también murió, y con frecuencia pienso que pudo haber sido de tristeza. Ahora bien, esto sin duda devastaría a algunos niños, pero de nuevo, no a Anthony. El amor increíble que recibió en sus primeros años sin duda lo hizo sentir muy seguro en el mundo, porque salió de este momento difícil en forma admirable.

Enseguida, su fe en el mundo fue recompensada cuando recibimos la noticia de que su tía y su tío, a pesar de que no querían tener hijos, habían accedido a su adopción.

Debido a mi cercanía con todas estas circunstancias, yo tuve el privilegio de hacer el viaje que llevaría a Anthony a conocer a su nueva familia. Sentía que estaba entregando un alma sabia y vieja, que se convertiría en maestra para sus nuevos guardianes, y Anthony continuó enseñándome. Sus preguntas y miedos removían mis propias preguntas y miedos, y juntos encontrábamos paz en nuestras almas en medio de una experiencia desgarradora.

Nuestro avión debió hacer una conexión en Denver, pero como había llegado tarde, experimentamos la maravillosa alegría de correr de puerta en puerta hasta la más lejana posible (por supuesto).

Tomé a Anthony de una mano y cargué nuestro equipaje ligero con la otra, y mientras corríamos a toda velocidad por el corredor, lancé un grito a los encargados de documentar:

—Por favor, den aviso, díganles que detengan el avión.

¡Los agentes me voltearon a ver como si estuviera loca! Y por supuesto no detuvieron el avión.

Anthony volteó a verme (yo no tenía una expresión angélica, debo confesar) y dijo:

—Mauguet, ¿es un día *rápido*?

Contesté con una enorme frustración:

—¡Sí, exacto, estamos teniendo un día rápido!

Llegamos justo a tiempo para ver desde la puerta cómo se retiraba el avión. (Conoces la divertida sensación, ¿cierto?) Anthony y yo nos abrimos paso hasta el mostrador y supimos que nuestra siguiente conexión sería en cinco —repito, cinco— horas.

Mi primer pensamiento (no estaba en mi Ser Sagrado en ese momento) fue: *¿Debo pasar cinco horas en el aeropuerto con un niño de seis años?* Solo podía imaginar que las cinco horas iban a ser "interesantes".

Y después empezó mi lección sobre Todo es Sagrado.

El encargado de los boletos nos preguntó:

—¿Les ayudaría tener vales de comida?

Anthony de manera entusiasta tomó los vales, ¡pensó que todo esto era tan bueno como ganarse la lotería! Yo estaba furiosa y Anthony estaba encantado mientras ingeríamos nuestras "cajitas felices", lo que dio un gran total de media hora.

Luego llegamos a una sala de espera casi vacía… donde nos aguardaban cuatro horas y media antes de que saliera nuestro avión. No me entusiasmaba esta experiencia porque en realidad no sabía qué hacer con un niño de seis años; y se me olvidó preguntar: *¿Qué se trae Dios con todo esto?* (Es la primera regla para ver que lo Sagrado se desenvuelve en todas las experiencias de la vida.)

Sin embargo, Anthony no parecía afectado por la espera y procedió a desempacar su mochila, sacó todos los Power Rangers, golosinas, libros para colorear y crayolas que había metido. Hizo un gran círculo en la alfombra con todos estos "elementos sagrados", se estiró con la panza para abajo y empezó a colorear.

Pensé que la actividad duraría alrededor de diez minutos.

De hecho, esta ceremonia sagrada llenó las siguientes cuatro horas y media; y la historia mejora.

En otra sala de espera que estaba frente a la nuestra, un pequeño empezó a llorar con una clase de llanto que, sin importar lo que sus padres hicieran, no podía ser consolado. Anthony se paró para ver al niño que gemía y con gran entusiasmo le hizo un gesto con el dedo para que se acercara.

El pequeño, todavía aullando, caminó tímidamente a través del pasillo bajo los ojos vigilantes de sus padres, y se paró a la orilla del círculo que Anthony había desplegado. Mi chico volteó a verlo con curiosidad.

—¿No tienes libros para colorear? —preguntó.

Sorbiendo, el niño contestó:

—No.

—¡Bueno! —dijo Anthony, con tono de sorpresa.

Después, arrancó una página de su libro para colorear, la deslizó sobre la alfombra con unas cuantas crayolas e invitó con un gesto al pequeño a entrar a su círculo. (Fue interesante observar que el niño no entró al Círculo Sagrado hasta no recibir la invitación para hacerlo.)

—Por cierto, ¿cuántos años tienes? —le preguntó Anthony al pequeño.

En medio de más lloriqueos, limpiándose las lágrimas con la manga, el pequeño contestó:

—Tres.

Anthony volteó a verme, cerró sus ojos y susurró:

—¡Con razón!

Conforme fueron pasando las horas, otros niños se abrieron paso hasta el círculo sagrado de Anthony, cada uno parado en la orilla hasta que recibía la invitación para entrar. El círculo seguía creciendo, y tenía que reacomodarse para hacerle lugar a las nuevas llegadas.

Poco después, los padres empezaron a reunirse, y conforme atestiguamos esta escena con sorpresa, olvidamos los libros que estábamos leyendo y nuestra frustración sobre conexiones perdidas y llegadas tardías. Nos vimos propulsados —esa es una buena palabra para un aeropuerto— hacia el momento sagrado, el instante de eternidad en que el tiempo no existe y solo el amor y la paz importan.

En ese segundo, me di cuenta de que jamás volvería a tener esas horas sagradas con el Anthony de seis años, quien nos brindaba la extraña oportunidad de poder estar presentes con el Amado, sin importar las circunstancias ni quién fuera el Amado.

Ese día recordé que el *viaje en su totalidad* es sagrado, que cada experiencia es para nuestro aprendizaje, para el desenvolvimiento del ser sagrado y para la celebración de lo que realmente somos. "San Antonio" me ayudó a recordar esto.

Me da alegría informar que los tíos de Anthony, quienes, como dije antes, jamás habían querido hijos y sin embargo estuvieron dispuestos a adoptarlo, ahora consideran sus vidas mucho más completas con Anthony. ¡Y este niño está floreciendo, emocional, física, mental y espiritualmente!

Les deseo a todos bendiciones en el viaje… ¡y no olviden llevar su libro para colorear y sus crayolas!

En efecto, no olviden.

Quiero agradecer a Margaret por enviarme esta historia. Ella y su esposo, David, están entre los que ya aceptaron La Invitación. (Te contaré más sobre ello al final del libro.) Margaret y David van de lugar en lugar, de iglesia en iglesia, de sala en sala, de persona en persona, compartiendo su experiencia personal de pequeños momentos que contienen grandes verdades, y a los que yo llamo Momentos de Gracia.

Hay muchas lecciones estupendas en esta historia. La idea de que cada momento es sagrado y puede albergar para nosotros maravillosos tesoros y grandes enseñanzas es una de ellas. Otra es que cuando la gente (de cualquier edad) está rodeada por un cariño intenso y un verdadero amor, recibe increíbles herramientas con las cuales enfrentar los mayores desafíos de la vida.

La tercera es: Sé el origen. Ese es un mensaje muy importante que aparece una y otra vez en la serie de libros *Con Dios*. Si hay algo que quieras experimentar, sé tú el origen de ello.

Si bien no creo que el joven Anthony estuviera haciendo esto conscientemente (aunque, con la vida espiritualidad que posee, no estoy seguro), al parecer sin saberlo estaba practicando con exactitud este principio. Él quería experimentar la ausencia de miedo mientras se encaminaba a su nueva casa, y cuando vio al pequeño niño llorando al otro lado del pasillo, él hizo que desapareciera el miedo del pequeñín, y de un mismo golpe eliminó el suyo.

Así es como funciona todo este proceso, y cuando tú aprendes a hacerlo conscientemente, te adueñas de un gran secreto. Si quieres sentir felicidad, haz que otra persona se sienta feliz. Si quieres sentirte acompañado, sé un compañero para alguien más y haz que no se sienta solo. Cuando quieras experimentar alegría, haz que otra persona la sienta. De hecho, no importa *lo que* quieras vivir, la manera más rápida de hacerlo es provocar en alguien más esta experiencia.

No te quedes esperando a que el mundo te dé lo que quieres, y conviértete en fuente para alguien más. Eso es lo que Anthony hizo en el aeropuerto. Lo que quiero decir es: ¿qué niño quiere estar aburrido durante cuatro horas? Así es que él evitó que otros niños se aburrieran, y adivina quién acabó divirtiéndose... Esta es, sin duda, una fórmula para la magia.

Al menos hay una lección más derivada de esta pequeña historia sobre Anthony.

Con frecuencia, cuando le suceden cosas malas a las buenas personas (y, especialmente, cuando esas personas son niños), nos preguntamos por qué la vida tiene que ser así. Preguntamos: *¿Qué está sucediendo aquí?* Cuestionamos el infinito amor del universo y, sin embargo, lo que he llegado a entender es que hay un diseño hermoso que es bordado por el alma.

Si contempláramos el bordado de un lado, todo lo que veríamos sería una revoltura de longitudes y colores cruzándose sin sentido alguno, y que hasta podría considerarse fea. Si la vemos del otro lado, produce una experiencia completamente distinta, ya que podemos admirar la belleza del diseño, la maravilla de su tejido, la *necesidad* de la revoltura.

Elisabeth Kübler-Ross, la eminente doctora, psiquiatra y pionera en el campo del dolor y la pérdida, la muerte y el morir, que se ha convertido en una de las maestras más amadas del mundo, tiene una manera maravillosa de poner todo esto en contexto. Ella dice:

Si proteges al desfiladero del vendaval, jamás volverás a ver la belleza de sus formas.

Jamás he olvidado esas palabras.

La oportunidad de trabajar de cerca con Elisabeth como miembro de su personal constituye uno de los grandes Momentos de Gracia en mi vida. Ella ha tocado todo un mundo con su compasión, su profundo entendimiento de la condición humana y su amor por la humanidad.

Algunas veces me pregunto si hay ángeles en la Tierra rondando entre nosotros, y mi respuesta es afirmativa, pues yo conozco uno: considero a Elisabeth Kübler-Ross un ángel que ha curado muchas vidas.

Y en realidad David Hiller tuvo una experiencia que fue producto del trabajo de Elisabeth. Este es un maravilloso ejemplo de cómo las cosas que hacemos pueden tocar, por añadidura, a miles de otras personas.

15

Nunca es tarde
para recibir una bendición

S i alguna vez tuviste la experiencia de no sentirte bienvenido, sabes lo devastadora que puede ser. Mucha gente guarda esa desilusión durante mucho tiempo, la cual le sigue afectando en el presente.

Hasta hace poco, David Hiller se sentía bastante rechazado y adolorido por una vivencia que tuvo a los diecinueve años. Tiempo después, justo antes de su cumpleaños número cincuenta y dos, se dio un cambio muy importante en su vida. Me contó cómo sucedió, así es que aquí está su historia, en sus propias palabras...

En junio del año 2000, mi esposa Margaret y yo fuimos invitados a hablar en la Unity Village de Kansas City, la sede central de la Iglesia Unity. En aquella época, *Hacia el pensamiento milagroso* era el nombre de los talleres de curación que impartíamos en iglesias por todo el país.

Aquel día nos sentíamos en verdad agradecidos por haber apoyado a muchas personas en sus poderosos cambios curativos, pero no sabíamos que más tarde, en esa misma semana, sería mi turno. Sucedió cuando asistimos al taller de otro presentador.

Con el título de *Regreso a Casa*, el taller fue presentado por el ministro de Unity, Sky St. John. En medio de la sesión, Sky nos contó la historia de cómo Elisabeth Kübler-Ross lo había entrenado para hacer este taller.

Durante su entrenamiento, Elisabeth narró una historia que realmente conmovió el corazón de Sky (y cuando Sky volvió a contar la historia, también abrió el mío). El relato de Elisabeth iba así:

En uno de sus grandes talleres, que incluía a una serie de veteranos de Vietnam, ella les pidió a estos que pasaran a otro salón para explicarle algo al resto del grupo. Los veteranos salieron y esperaron a que los llamaran de nuevo.

En ausencia de los veteranos, ella les dijo a los demás que era tiempo de que se diera una curación, pues estos hombres habían guardado pesar por mucho tiempo, así como sentimientos de falta de apoyo y desamor al regresar a Estados Unidos, y era momento de empezar a sanar esas heridas tan hondas.

Ella le pidió a la gente que ovacionara a los veteranos como si estuvieran regresando a casa por primera vez, que los celebraran de manera amorosa, poderosa y acogedora, que les susurraran frases tiernas, que les dieran mucho aliento y los bendijeran (en otras palabras, que les dieran la bienvenida a casa de una forma que cimbrara todo su ser). Los participantes del taller accedieron a esto y Elisabeth pidió a los veteranos que pasaran.

Al entrar, la audiencia ovacionó y aplaudió, cantó canciones y ofreció muchas palabras alentadoras y curativas. Los veteranos se sintieron tan sobrecogidos de emoción que las lágrimas empezaron a rodar por sus rostros; se llenaron de una emoción tan poderosa que algunos de ellos cayeron de rodillas, llorando. Muchos que lograron contener el llanto ante la bendición de la bienvenida, se sintieron igual de agradecidos de recibirla. Algunas personas empezaron a tocar música de desfile en el piano, y se formó un círculo alrededor de los veteranos.

Elisabeth les pidió a los antiguos soldados que caminaran en círculo para recibir un mensaje personal de bendición y bienvenida, así como un abrazo y una ovación. Algunos de los veteranos estaban tan emocionados que no podían caminar, así es que gatearon mientras experimentaban el regreso a casa en una forma totalmente nueva. No había un solo ojo seco en el grupo. Todos estaban conmovidos por esta ceremonia de curación. No solo los soldados recibieron curación ese día, sino también el resto del grupo que se sentía conmovido y bendecido por esa experiencia.

Sky nos relató esta historia a su manera —compasiva y amable—, y compartió que escuchar la historia de Elisabeth había abierto en él la inmensa necesidad que todos tenemos en nuestras vidas de ser bienvenidos.

Al dirigirse a las personas que asistían al taller en la Unity Village, podías sentir el intenso deseo que tenía Sky de que nuestro grupo también experimentara la vivencia del Regreso a Casa.

Continuó preguntándonos si había áreas en nuestras vidas en las que, en su momento, no nos hubiésemos sentido recibidos o apoyados por familiares, otras personas o en cualquier otra circunstancia.

Declaró que el ejercicio del Regreso a Casa nos daba la oportunidad de transformar la experiencia de falta de bienvenida en una bendición para curar las heridas de una vez por todas, pues la bienvenida alberga una poderosa medicina. Así es que a quienes quisieron recibir la bendición curativa de "regresar a casa" se les invitó a reunirse en la parte posterior del salón. Todos los demás se quedaron enfrente.

Alrededor de unas ciento cincuenta personas se reunieron para darles la bienvenida a aquellos que la necesitaban. Yo, por ser un presentador del taller en esta conferencia, naturalmente empecé a caminar hacia el frente. Sin embargo, en ese instante, escuché una pequeña voz que me dijo:

David, necesitas ir a la parte posterior. Hay algunas cosas que son realmente importantes en tu vida que no han sanado debido a que, en su momento, no te sentiste amado y apoyado.

El mensaje fue claro y fuerte, sonaba muy cierto, así es que escuché y confié. Me dirigí al fondo del salón, aunque no sabía lo que diría cuando fuera mi turno de hablar. Esperé mientras cada persona se acercaba al micrófono y le hablaba al grupo de bienvenida, describiendo una circunstancia en la que él o ella no se habían sentido acogidos. La persona que tenía el micrófono hacía declaraciones de bienvenida al equipo como "ustedes representan a mis padres o a mis hermanos o a mis compañeros de trabajo", o quien quiera que fuera parte de la historia dolorosa.

Entonces, tan pronto hablaba la persona, él o ella caminaban hacia delante mientras el equipo de bienvenida empezaba a ovacionar, aplaudir y abrazar al individuo, dándole a ese Amado muchísimo apoyo positivo. Sky solía decir: *Has regresado a casa*, y eso ofrecía al corazón de la persona una profunda curación.

Conforme observaba esta experiencia excepcionalmente emocional para otros, mi turno se acercaba más y más. Incierto sobre lo que diría, seguía no obstante sintiendo que era muy importante participar.

Pronto llegó mi turno, y al caminar hacia el micrófono, escuché que esa misma y pequeña voz decía:

David, tú fuiste uno de esos veteranos de Vietnam y te has aferrado a esos recuerdos y dolor por muchos, muchos años. No te dieron la bienvenida cuando llegaste a casa. Tu país se olvidó de ti y todavía te duele. Ahora es tu oportunidad.

Así es que, temblando, caminé hasta ese micrófono, lo tomé entre mis manos y liberé las palabras:

—Yo fui uno de esos veteranos de Vietnam y mi país se olvidó de mí cuando estuve allá y no sentí que me dieran la bienvenida a casa. Me ha dolido durante largo tiempo y he visto el dolor en muchos otros veteranos con el paso de los años. Ha llegado el momento de la curación.

¡Un estallido de aplausos y ovaciones resonó en todo el grupo! La gente del equipo de bienvenida corrió hacia mí y extendieron sus manos, me tocaron y susurraron:

—Bienvenido a casa. Estamos tan contentos de que hayas regresado. Te extrañamos. Gracias por representarnos allá.

Sky corrió hacia el piano y empezó a tocar música de desfile, como "God Bless America". Yo también me sentí sobrecogido por la emoción, y las lágrimas empezaron a surcar mis mejillas. Caí de rodillas, pues difícilmente podía caminar. Fue como si el tiempo se hubiera detenido; tan poderoso era el sentimiento. ¡Jamás lo olvidaré!

Cada vez que volvía a pararme y me adentraba en el grupo, más gente me bendecía y me abrazaba y me daba la bienvenida. Sky dijo:

—Estás regresando a casa. Te están dando amor y la bienvenida.

La experiencia me conmovió en lo más profundo del alma; cada célula de mi cuerpo reaccionó ante la vivencia.

Al caminar entre el grupo iba temblando, pero podía sentir con exactitud que el dolor abandonaba mi cuerpo. El yunque que había estado cargando durante tantos años se elevaba de mis hombros para desaparecer mientras me sostenían los brazos del amor. Fui capaz de sentir la bienvenida que tanto había querido de mi país, ¡y elegí recibirla!

Atestigüé las lágrimas en los rostros de esas personas que me bendecían, y supe que su amor y apoyo eran verdaderos. Fue la mayor curación que jamás haya recibido en mi vida.

Mucha gente acudió a mí después del taller, para contarme historias sobre las experiencias de sus seres queridos en Vietnam y las dificultades que enfrentaron al regresar a casa. Estos padres, madres y esposas de los veteranos de Vietnam también tenían una necesidad de curación, perdón y comprensión. Ellos se sintieron agradecidos por la experiencia de recibirme porque yo representaba a sus seres queridos, que también requerían que su país les diera la bienvenida. ¡Así es que estos otros participantes necesitaban darme la bienvenida tanto como yo necesitaba que me la dieran!

Jamás supe por qué estuve en Vietnam, y ahora mi estadía allá tiene un propósito: ayudar a otros para que recuerden que jamás, jamás, *jamás* es muy tarde para ser bendecido, sin importar a lo que nos estemos aferrando, sin importar cuál sea la circunstancia.

Nunca es demasiado tarde para que te den la bienvenida a casa, para ser amado, para ser apoyado, para curar viejas heridas y recuerdos. ¡Jamás es demasiado tarde! Nunca olvides eso. ¿Cómo es que lo sé? Porque me sucedió a mí, y si yo puedo tocar el corazón de alguien de ahora en adelante, y ayudarle a recordar eso, entonces lo haré.

Le doy las gracias a Dios, les doy las gracias a los veteranos, le doy las gracias a Sky St. John, le doy las gracias a Elisabeth Kübler-Ross por llevar a cabo esta experiencia maravillosa que necesitó hacerse durante tantos años. Dios los bendiga. Dios bendiga a todos los veteranos, y Dios te bendiga a ti.

Esta es una historia tan alentadora, y dice tanto de lo asombrosa que puede ser la vida cuando simplemente ponemos atención a las pequeñas cosas que hacemos, decimos o expresamos entre nosotros. Estas no son pequeñas cosas, sino enormes en la vida del alma.

Espero jamás permitir que alguien se sienta como un intruso en mi espacio, y espero que tú tampoco lo permitas.

Desde el principio de los tiempos, todo lo que cualquiera de nosotros quiso realmente fue amar y ser amado. Y desde el principio de los tiempos, todo lo que hemos hecho, como sociedad, es hacer prácticamente imposible esa experiencia.

Hemos creado todo tipo de restricciones religiosas, tabúes tribales, estrategias sociales, pautas grupales, normas vecinales, fronteras, leyes, políticas, reglas y regulaciones que nos dicen a quién, cuándo, dónde, cómo y por qué podemos amar, y a quién, cuándo, dónde, cómo y por qué no podemos hacerlo.

Por desgracia, la segunda lista es más larga que la primera.

En la experiencia que llamamos *amor*, hemos colocado el juicio antes de la aceptación, la condena antes de la compasión, el castigo antes del perdón y la limitación antes de la libertad. En una palabra, hemos hecho condicional el amor, y con esa decisión lo hemos despojado por completo de significado, convirtiéndolo en una absoluta falsedad.

Sin embargo, no es demasiado tarde —jamás es demasiado tarde— para que nuestros corazones se abran, y fundirnos en la experiencia del amor genuino. Hacemos esto cuando nos bendecimos el uno al otro.

Eso fue lo que le pasó a David Hiller en la experiencia que relató aquí. El grupo bendijo a David y se bendijo a sí mismo por ello. Eso es lo que siempre sucede, pues la bendición es la manera en que se completa El Círculo del Amor.

Bendecir se convierte en algo natural cuando sabemos Quiénes Somos Realmente. *Amistad con Dios* nos dice:

> En el momento de tu entendimiento total (momento que puede llegar a ti en cualquier instante), tú, como yo, te sentirás completamente gozoso, amoroso, incluyente, bendito y agradecido. Estas son las Cinco Actitudes de Dios, y... la aplicación de estas actitudes en tu vida ahora puede llevarte hacia la Santidad, y lo hará.

De nuevo, por favor permíteme decir que jamás es demasiado tarde para recibir una bendición tal y, jamás, *nunca*, es demasiado tarde para ofrecerla. Incluso si nuestros corazones se curan en el último momento de nuestras vidas, el resultado quizá sea que la vida, toda, valió la pena.

Cuando nos bendicen, nos sentimos aceptados, nos sentimos bienvenidos. Tengo tanta emoción de que este ejercicio de Regreso a Casa haya sido descrito por David Hiller en forma tan hermosa y conmovedora en este libro. Ahora bien, esto puede desplazarse de Elisabeth Kübler-Ross a Sky St. John, a David y después a cualquiera de ustedes que esté haciendo un trabajo de curación o de ayuda y encuentre maneras de adaptarlo a su programa, su actividad o su expresión particular en el mundo. Y no te preocupes por el plagio; nadie se enojará contigo por "robar" la idea. *Ellos quieren que lo hagas.*

¿Por qué? Porque ahora es el momento para la curación, a gran escala, de toda la gente que alguna vez sintió que no la recibían bien en algún lugar. Personas de todo el mundo me han pedido que les transmita el mensaje de *Conversaciones con Dios*. De Oslo a Croacia, Copenhague a Johannesburgo, Toronto a Tokio, el deseo de amar, la búsqueda de la verdad, la sed de entendimiento, la necesidad de curación y el anhelo de una felicidad más profunda son palpables.

Yo lo he *sentido* en el aire tanto en las ruinas de Machu Picchu como en el Vaticano, en Roma. He estado parado en la Gran Muralla de China y en la Zona Desmilitarizada que, después de cincuenta años, todavía separa a Corea del Norte de Corea del Sur, y en todos lados —*en todos lados*— es lo mismo: un hambre de paz y armonía y unidad, y del final de todo lo que nos divide y nos causa conflicto.

Aunque nuestras mentes colectivas todavía no puedan hacer a un lado sus juicios, ni diseñar una forma de olvidar sus prejuicios y sus enojos y sus necesidades imaginarias, nuestros corazones combinados no tienen problema en desplazarse hacia un lugar donde puedan estar de acuerdo: gente de distintas creencias o culturas, de distinto color de piel o preferencia sexual, religiones o tendencias políticas opuestas, son en esencia lo mismo. Y si bien todos nos hemos sentido impuros o totalmente inaceptables en algún momento, lugar o forma, no debe haber *tiempo*, ni *lugar*, ni *forma* en los que la intolerancia haga que los seres humanos se sientan rechazados (y mucho menos en peligro). No debe ser así si somos quienes decimos que somos; no si afirmamos ser las criaturas más evolucionadas del planeta.

Así es que nuestro desafío ahora, conforme nos movemos en la segunda década del siglo XXI, consiste en incrementar nuestra apertura a nuevas ideas, a nuevas posibilidades, a nuevas formas de entender al otro y a Dios (y sus innumerables regalos).

Entre los que se incluye...

16

El don de la profecía

*M*onique Rosales despertó una mañana con la cara empapada en lágrimas porque había soñado que su querida mamá había muerto.

Para cualquiera, este sueño habría sido bastante perturbador, pero para Monique era doblemente impactante. Muchos de sus sueños se habían cumplido en el pasado —incluido uno en el que volvía a reunirse con un hombre al que había amado durante trece años, pero no había visto por casi seis—, así es que supo que debía llamar enseguida a su madre para ver cómo estaba todo.

—¿Mamá, te encuentras bien? —Monique trató de sonar como si nada, a pesar de su sentimiento, una mezcla ya familiar de temor y asombro. ¿Por qué tenía esta habilidad de soñar lo que pasaría en el futuro?

No sé si es una bendición o una maldición, pensó con pesar.

—Por supuesto, querida, ¿por qué lo preguntas?

Desde luego, la madre de Monique conocía sus extrañas habilidades, así es que también ella se sintió intranquila. La mujer colgó, preguntándose sobre el significado del sueño; por lo general, la intuición de su hija era acertada.

La siguiente noche Monique tuvo un segundo sueño como el primero, pero esta vez no quiso llamar a su madre para no preocuparla con la noticia de que ahora eran dos sueños los que predecían su muerte. Monique se guardó esta información, y se preocupó en soledad.

Dos meses más tarde, el misterio fue resuelto. La madre de Monique fue diagnosticada con cáncer terminal de riñón.

—Dios mío, querida, estabas en lo cierto —dijo su madre, ante lo que Monique se sintió casi culpable por su "don".

—Ay, mamá, lo siento tanto...

—Querida, no es tu culpa. Tú solo viste lo que iba a suceder. Por favor, no te sientas mal, pues tu habilidad hizo que las noticias fueran menos impactantes.

Monique atendió a su madre durante su enfermedad, rezando para que Dios les concediera a ambas la fortaleza de soportar esta pérdida dolorosa. Después de unos cuantos meses, su mamá partió.

Incapaz de liberarse de su profunda tristeza, Monique pasó noche tras noche dando vueltas en la cama. El hecho de tener estos sueños no era algo sencillo para ella. *La próxima vez que tenga un sueño como este de alguien a quien amo*, pensó, *no solo voy a estar de luto después de su muerte, sino desde antes.*

—Dios, ¿por qué no puedo tener una visión BUENA? —preguntó lastimeramente.

Y después la tuvo, pues su madre se le apareció una noche en un sueño.

—Estoy contenta y sana —pareció decirle.

Monique empezó a dormir con mayor facilidad.

Unos cuantos años más tarde, Monique estaba viviendo en Alemania cuando su madre volvió a visitarla en un sueño.

—Necesitas que te examine un doctor, Monique —le dijo su mamá—. Tienes tres quistes cerca de tus ovarios.

—¿Voy a morir, mamá? —preguntó Monique.

—No, no te preocupes, pero debes ir al doctor de inmediato —contestó.

Aunque su mamá le dio confianza, Monique despertó llena de pánico. Ella hablaba muy mal alemán, así es que llamó a una amistad que hablaba inglés para que le ayudara a hacer una cita con el médico. Las horas pasaron con lentitud hasta que llegó el día de su consulta.

Mientras la examinaban, Monique trató de explicarle al médico lo que su madre le había dicho. Él le contestó al examinar la pantalla del ultrasonido:

—Tu madre está en lo cierto. Eso es increíble. ¿Dónde vive?

—En el cielo —contestó Monique.

—¡Qué suerte has tenido! —dijo el doctor, y tomó el teléfono para programar la cirugía en menos de una semana.

Tres días antes de salir al hospital, Monique meditó durante seis horas seguidas en oración absoluta. Estaba lista. Mientras empacaba su maleta para el hospital, siguió rezando. A pesar de la confianza que su madre le había dado, tenía miedo, pues estaba sola y casi no hablaba alemán. Pero confiando en Dios, Monique llegó hasta el consultorio, donde un último ultrasonido sería realizado antes de la cirugía, solo para localizar la ubicación exacta de los quistes.

El doctor empezó el ultrasonido, pero muy pronto otro médico entró al consultorio para hablar sobre el dudoso resultado de la prueba. Un tercer doctor llegó. Si Monique estaba nerviosa antes, ahora no cabía en sí de la angustia. ¿Cuál podría ser el problema? Mientras permanecía en la camilla, se sentía al borde del pánico. ¡Su corazón latía con tanta fuerza! Si tan solo hablara el alemán suficiente como para preguntarles qué estaba pasando.

Entonces, Monique escuchó una voz dentro de su cabeza, era su madre:

Estarás bien, hija. Dios ha escuchado tu plegaria. Confía en Él para que te mantenga en Su amor.

Monique respiró profundamente. Cuando por fin llegó una traductora, encontró a Monique confusa, pero tranquila.

—Al parecer ha habido un cambio en tu condición —explicó la traductora—. Los doctores no pueden encontrar evidencia alguna de tumores o quistes. Están bastante perplejos.

Monique estaba atónita.

—¿Qué? —preguntó—. ¿Qué me está diciendo?

En efecto, los doctores estaban pasmados con los resultados de la prueba, y explicaban por medio de la intérprete:

—Normalmente, habría al menos un rastro del quiste, pero no podemos encontrar indicación alguna de que hayas estado enferma. Los quistes parecen haber desaparecido por completo.

Desde ese momento en adelante, Monique ha dado las gracias por los milagros en su vida, incluyendo el milagro de su don tan especial, el de ser capaz de recibir y enviar importantes mensajes del Reino Mayor. Le pide a Dios usar su don de la profecía en una forma que sea útil a los demás; y sobre todo, le da las gracias a su madre por continuar a su lado y protegerla.

Cuando escuchamos de gente que tiene experiencias como esta, que demuestra habilidades como esta, nuestras mentes quieren saber: ¿existe realmente la condición de ser psíquico? *Conversaciones con Dios I* dice al respecto:

Existe la condición de ser psíquico. Tú la posees. Todo el mundo la posee. No hay una sola persona que no tenga lo que tú llamas habilidad psíquica, solo hay personas que no la usan.

Utilizar la habilidad psíquica no es más que utilizar tu sexto sentido.

Pero Monique dice que ella no solo recibió "golpes" psíquicos —claridad o visión sobre algún acontecimiento futuro—, sino también *comunicaciones directas* de su madre, una cuando Monique aún estaba trastornada por su muerte, y la otra años después, cuando su madre le advirtió de su enfermedad. ¿Es *esto* posible?

De *Conversaciones con Dios III*:

Estás hablando de comunicación con los espíritus. Sí, tal comunicación es posible.

Tus seres queridos jamás están lejos de ti, nunca más allá de un pensamiento, y siempre estarán ahí si los necesitas, listos para aconsejarte o consolarte.

Si estás muy preocupado porque tu ser querido esté "bien", te enviará una señal, un pequeño "mensaje" que te permitirá saber que todo está bien. Ni siquiera tendrás que llamarle, porque las almas que te amaron en esta vida se ven atraídas a ti, jaladas a ti, vuelan hacia ti en el momento en que sienten el más mínimo problema o perturbación en tu campo áurico.

...Sentirás su presencia reconfortante si estás realmente abierto a ellos.

Cuando entendamos que la historia de Monique no es inusual, sino que de hecho le sucedió, y *les está sucediendo ahora* a muchos miles de personas, entonces estaremos listos para dar el salto cuántico que toda la humanidad añora; el salto hacia el mañana, donde nos recrearemos como los Nuevos Humanos.

En la actualidad podemos encontrar Maestros que han alcanzado este nivel. Ellos han sido marginados en muchos lugares y entre mucha gente, pues sus visiones hacen tambalear el *statu quo* y provocan que nos reexaminemos mediante su visión soprendentemente clara de lo que nos estamos haciendo los unos a los otros; y cómo parar, si tan solo llegamos a saber y aceptar Quiénes Somos Realmente.

Ha llegado el momento de terminar la separación entre nosotros. Debemos "darles la bienvenida a casa" a aquellos que nos revelan nuestra propia magnificencia. En el pasado, nos hemos burlado de ellos, los hemos criticado, los hemos rechazado (hasta crucificado). Ahora se nos invita a reconocer que el regalo del entendimiento y la sabiduría y, sí, incluso la profecía, es *común*.

Como lo es…

17

El don de la curación

*E*n el capítulo 2 conocimos a Bill Tucker, que vive en las afueras de Milwaukee, Wisconsin. El escéptico gerente de una oficina de bienes raíces que se quedaba boquiabierto a cada paso que daba mientras el milagro del señor y la señora Johnson se consumaba. Bill me dijo que desde ese día su vida había estado colmada de milagros, y cuando me describió otro de ellos —una historia sorprendente y poderosa—, no pude resistir y la incluí también en esta colección porque ejemplifica de manera dramática un punto en torno al cual gira este libro:

Hay cosas de las que no sabemos, *hay* una conexión directa entre los humanos y lo Divino, y las experiencias sobre esta conexión son más comunes de lo que la mayoría de la sociedad ha reconocido.

Al igual que en *Conversaciones con Dios* me propuse romper al fin con la falsedad de que Dios no habla directamente con los seres humanos, con este libro espero dejar en claro que *lo extraordinario es ordinario*.

Una vez que nos damos cuenta de que nuestro aparente entendimiento sobre la vida en este planeta ha sido inexacto, sesgado e incompleto (en el mejor de los casos), entonces empezaremos a buscar con avidez la historia *real*.

Aquellos que se proponen con rigor que nuestras vidas continúen limitadas y llenas de carencias, quizá se sientan amenazados por esto. Por otro lado, la gente que está lista para el surgimiento colectivo del Hombre Nuevo le dará la bienvenida a las historias que evidencian nuestra capacidad para concretar esta experiencia.

Así es que ahora quiero darle la palabra a Bill Tucker, quien tiene una segunda e interesante historia que relatar con sus propias palabras…

Un frío día de invierno, en febrero del año 1990, mi madre me llamó del Hospital St. Mary en Milwaukee.

—¡Tienes que venir de inmediato al hospital!—suplicó.

—¿Cuál es el problema? —pregunté.

—Tu padre se estaba sintiendo muy mal, así es que lo traje a la sala de urgencias —lloró a través del teléfono—, ¡y se rehúsan a hablar conmigo sin que estés tú aquí!

Corrí al coche y manejé presuroso hasta el hospital. Me enviaron al Departamento de Oncología. En aquel momento no sabía que *oncología* era el ala de cancerología. Mi madre me llevó hasta el doctor, y le pregunté por qué no quería hablar con ella.

—Porque tengo muy malas noticias, y consideré necesario que hubiera un familiar aquí para que la apoyara.

—Está bien —dije—, ¿cuál es el problema?

—Coloque sus brazos alrededor de los hombros de su madre y sosténgala fuerte —dijo, y así lo hice—. Su padre está muriendo de cáncer… y no podemos hacer nada por él.

Ante tales palabras, mi madre gritó:

—¡Ay, Dios, noooo! —empezó a desmayarse, y yo la sostuve.

—¿No hay *algo* que pueda hacerse, doctor? —suplicó mi madre.

—Lo siento, pero ha fumado durante cincuenta años, y el ochenta por ciento de ambos pulmones ha dejado de funcionar. No podemos darle radiación, porque la cantidad y el área que tendríamos que cubrir acabaría con todos sus otros órganos vitales. Más aún, no podemos darle quimioterapia por lo mismo, la cantidad de quimio muy probablemente lo mataría, y lo único que lograríamos sería hacerle sentir nauseabundo y miserable durante sus últimos días. Tampoco podemos operar porque tendríamos que sacar ambos pulmones, y no tendría cómo respirar.

Mi madre estaba ansiosa ahora, buscando un rayo de esperanza.

—¿Cuánto tiempo más le queda?

El doctor vaciló, y dijo pausadamente:

—No vivirá más de seis meses... —y me hizo un gesto para que abrazara otra vez a mi madre. Yo entendí que vendría otra dosis de malas noticias.

—Doctor —mi madre volvió a suplicar—, hemos estado planeando unas vacaciones a Florida para julio. ¿Podrá ir?

—Creo que no entiende —dijo—. Su esposo quizá no llegue a julio.

Mi madre volteó a verme con los ojos muy abiertos, como si estuviera confusa por lo que estaba escuchando.

—¿Qué es lo que está diciendo, Bill?

—El doctor trata de decirte de la manera más amable posible, mamá, que papá va a morir mucho antes de seis meses.

Ante esto, ella volvió a gemir y, desplomándose, se desmayó en mis brazos. Poco después recuperó el conocimiento con sales aromáticas.

Visiblemente temblorosa, ella dijo:

—Por favor, doctor, solo dígalo. ¿Cuánto tiempo le queda?

Hice un gesto para indicar que estaba bien decirle.

—Bueno... pues es imposible predecirlo..., claro... —ante esto, hice un gesto de desesperación—, pero no creo que siga con nosotros más de tres semanas, a partir de ahora.

Y el doctor rápido agregó:

—Pero podemos darle algo para el dolor. Tal vez administraremos un poco de radiación también, pero no será suficiente como para hacer una diferencia en lo que le queda de vida. Solo lo hará sentirse un poco más cómodo.

En ese momento, mi madre volteó a verme y me dijo:

—Sé que tienes una relación especial con Dios, hijo, ¡debes salvar a tu padre!

—Oye, mamá —le dije—. ¡No soy Jesucristo! ¿Qué puedo hacer?

—¿Crees que no sé sobre los milagros que ha habido en tu vida? Sé que tu hija se recuperó de una parálisis total en un periodo milagroso —dijo—, y también sé sobre todo el dinero que has recibido a través de la oración.

"¡Así es que *debes* curar a tu padre!", insistió.

Fue entonces cuando tomé una decisión. Mi madre estaba en lo correcto sobre mi hija; ella se había recuperado de una parálisis casi total, y yo fui quien dije que eso iba a ocurrir; mi madre también estaba en lo correcto respecto al dinero. Una vez le pedí a Dios que me diera un millón de dólares —limpios— en un lapso específico de catorce días. El decimocuarto día, un banco me dio el millón de dólares como inversión para una iniciativa empresarial que tuve. A todo mundo hice saber que esto sucedería.

—Dios jamás falla —dije.

Así es que ahora, parado ahí en el hospital, supe que había llegado nuevamente la ocasión de practicar lo que predico.

Volteé a ver al doctor y dije:

—Está bien. Mi padre está curado ahora. No morirá. Su cáncer ha desaparecido.

Estoy seguro de que esto le sonó como de locos, pero en verdad yo no estaba *enloqueciendo*, sino siendo sincero. De todas maneras, el doctor volteó a verme con los ojos y la boca abiertos, como si yo estuviera demente.

—La negación no va a mejorar la situación, hijo —exclamó de manera ecuánime—. Tu padre no va a durar más de un mes.

—Doctor, usted quizá no tenga idea de lo que está pasando aquí, pero le digo que mi padre se ha curado del cáncer.

Con esas palabras, mi madre y yo abandonamos el hospital.

Dejé de pensar en el asunto. Puesto que había "cerrado el trato", no tenía razón alguna para pensar más en ello, pedir de nuevo o "preocuparme" si iba a resultar o no. Yo *sabía* que el milagro ya había sucedido, aunque cualquiera de nosotros pudiéramos ver la evidencia física o no.

Le administraron a mi padre un poco de radiación, en realidad muy poca: una inyección cada seis semanas durante un par de meses. Él sobrevivió, si bien sería más descriptivo decir que "se arrastró". Con todo, en julio, la verdad es que todavía bastante enfermo, ¡mi padre se fue con mi madre de vacaciones a Florida!

Como yo era comandante en la reserva naval, en octubre me llamaron para entrar en servicio con la marina para la Operación Escudo del Desierto, la precursora de Tormenta del Desierto. La marina me envió a Chicago para sustituir a otro comandante que había viajado a Arabia Saudita.

A finales de febrero de 1991, justo después de que la guerra de cinco días terminara, recibí una llamada en mi oficina naval. Era el oncólogo de mi padre.

—¿El comandante Tucker… de Milwaukee? —preguntó vacilante.

—Sí, habla Bill Tucker —respondí.

—¡Gracias a Dios! ¡Lo he estado rastreando por toda la marina para localizarlo! —dijo—. No va a creer esto, pero…

—Claro que lo haré, doctor —dije, antes de que pudiera terminar.

—¡No, no, escuche! No va a poder creer esto, pero su padre está… ¡su cáncer ha desparecido por completo!

—Por supuesto que sí —contesté.

—No, no, ¡lo que quiero decir es que está curado! ¡Es un milagro! —dijo, precipitando las palabras.

—¿Dónde ha estado? —le pregunté—. Eso sucedió hace un año, en febrero, ahí en el hospital.

—¿Qué? —preguntó—. No entiendo…

—Doctor, lo que usted acaba de experimentar *es* un milagro. Pero no en el sentido figurado de la forma como usted lo dice, sino en el sentido *literal*. ¿No se acuerda cuando le *dije* que mi padre estaba curado?

—Bueno, sí, pero quiero decir que *este* es el milagro… ¡No sé de qué otra forma llamarlo! —exclamó, evidentemente sin darse cuenta.

Mi padre fue a trabajar de manera regular durante los siguientes siete años, pero, después, un día empezó a sentirse mal otra vez. Lo llevamos de nuevo al hospital, en esta ocasión al Columbia, porque su doctor también trabajaba para este y ahí nos dio la cita.

Cuando entramos, el médico corrió para saludarnos en la puerta, y luego, parado junto a mi padre con el brazo sobre sus hombros, volteó y anunció a todo el personal que estaba al alcance del oído:

—¡Oigan todos! ¡Aquí está! ¡El Hombre Milagroso!

El personal, conocedor de las historias que deambulaban sobre la cura milagrosa de mi padre, rompió en aplausos. Yo me sentí contento de que estos profesionales médicos estuvieran dispuestos a reconocer la posibilidad de un milagro espontáneo, pero no tan feliz de que me lo atribuyeran a mí. *Todavía hay mucho por enseñar*, me dije.

Después de completar la revisión física de mi padre, el doctor me llamó al consultorio.

—Bueno, pues me temo que esta vez lo tiene —dijo con desánimo—. Es cáncer de células en avena, comúnmente conocido como cáncer de "células pequeñas", y ese es el peor tipo. Crece muy rápido y es el más resistente al tratamiento.

—No se preocupe, doctor —dije—. Ya está curado.

El doctor me miró en silencio, con el ceño fruncido, meditando mis palabras. Después dijo meticulosamente:

—No… lo… creo… esta… vez.

Yo me reí:

—Tampoco lo creyó la vez pasada, doc. ¿Qué cree que ha cambiado de Dios?

—¡Oiga! —exclamó—. Yo no soy de los que descarto la religión. Mi lema es "lo que funcione", pero mucha gente tiene fe, y Dios no los cura del cáncer.

—Quizá no le están pidiendo a Dios eso, doctor. ¿Alguna vez pensó en ello? Quizá solo son "fatalistas" y no quieren molestar a Dios con tal petición porque creen en el "destino". O quizá piden pero en su corazón dudan que Dios cumpla. Eso, ciertamente, desharía el milagro. Pero véame a los ojos, doctor. ¿Ve usted alguna duda en mí o en mi convicción?

—Bien, pues tendremos que esperar y ver… —dijo, disminuyendo el volumen de la voz.

—Eso no me suena como una declaración de convicción, doctor. Uno tiene que saber —*saber* absoluta y previamente— que el milagro ya ha ocurrido… o no puede suceder.

El doctor sonrió con indulgencia:

—Como usted diga —contestó en voz baja.

—Exactamente —sonreí—. ¡Ahora lo entiende!

La siguiente semana el doctor nos dijo que el cáncer de células pequeñas había desaparecido, y él lo atestiguó asombrado mientras salíamos del hospital.

Una semana más tarde, papá estaba de regreso, y el cáncer había vuelto a aparecer. De nuevo, volví a rezar, y a la siguiente semana la enfermedad desapareció.

Unas cuantas semanas después, el cáncer regresó; con todo esto, nos habíamos convertido en visitantes regulares del Hospital de Columbia.

Con cada ataque, el cáncer parecía tomar un poco más de mi padre. Sus piernas se hincharon, así es que difícilmente podía moverse. Su respiración era complicada. Yo me daba cuenta de que se sentía miserable.

Durante los siguientes siete meses, el cáncer seguía desapareciendo cada vez que yo decía que lo haría, para reaparecer más tarde. Empecé a sentirme culpable, como si estuviera interfiriendo con algún plan celestial mayor, así es que pensé: *¿Debo seguir haciendo esto para siempre? Estoy segurísimo de no querer verlo sufrir así.*

Después entendí algo que era tan obvio que me sentí avergonzado de no haberlo reconocido antes.

No era mi decisión.

No era mi vida.

No era mi responsabilidad.

Era la de papá… y la de Dios.

Así es que le dije a Dios:

—Por favor, mantenlo con nosotros tanto tiempo como sea posible, pero cuando sea Tu tiempo y su tiempo, por favor llévatelo con delicadeza.

Durante su última visita, mi padre le pidió al doctor si podía ayudarlo a permanecer vivo durante las siguientes semanas.

—Cumplimos cincuenta años de casados, doc. Me gustaría poderlo celebrar con mi amor.

El doctor dirigió la mirada hacia mí, por encima del hombro de papá, y dijo:

—Haré mi mejor esfuerzo —y sonrió.

Tres semanas después todos celebramos el aniversario número cincuenta de mis padres.

Mi papá ahora estaba confinado a la casa y casi todo el tiempo a la cama, pues sus piernas hinchadas le dolían mucho. Un día, poco después de su aniversario, mientras trataba de pararse para ir al baño, se cayó y sus lentes se rompieron. Al ayudarlo a regresar a la cama, él volteaba a verme con los ojos llenos de pesar y, llorando, dijo:

—Hijo, ya es momento. Ya no quiero vivir con tanto dolor. Déjame morir, por favor.

Volteé a ver al cielo y pensé, *Amamos tanto a este hombre, pero no queremos mantenerlo con nosotros más allá de su voluntad de vivir. Dios, hágase Tu voluntad.*

Entonces lo tuvimos que llevar al hospital, y murió unas cuantas horas más tarde.

Como todas las historias maravillosas que se han contado aquí, esta constituye un hermoso testimonio del amor de Dios, y de la perfección con que la vida se expresa a través de todas Sus creaciones.

Para todo hay una estación, y un tiempo para cada propósito bajo el cielo. Un tiempo para nacer, un tiempo para morir. Un tiempo para plantar, un tiempo para cosechar. Un tiempo para llorar, un tiempo para reír.

La vida es eterna. No tiene principio y no tiene fin. Solo tiene expresiones distintas en puntos diferentes dentro de un ciclo que jamás termina. La muerte es una ficción y realmente no existe, aunque la despedida del cuerpo sea real.

El momento de la partida siempre es perfecto. Cuando el padre de Bill fue diagnosticado inicialmente con cáncer, no era su momento de partir. Con frecuencia, con nuestra percepción limitada, no es posible saber eso. Puede parecer como si la vida de una persona con su cuerpo presente estuviera por terminar, cuando en realidad todavía hay mucho más por hacer.

Una persona que "realiza un milagro" es solo alguien que ha visto con claridad —que sabe absolutamente— lo que es apropiado en ese momento, y después lo reclama mediante la invocación.

Hay muchos resultados que podemos elegir para un momento dado. Esto es algo complicado de explicar plenamente sin una discusión a fondo sobre la naturaleza del tiempo. Pero el espacio aquí requiere que seamos breves. Entonces, solo diré que el tiempo, como lo conocemos, no existe. Esto es, el tiempo no es algo que pase, es una cosa a través de la cual *nosotros* pasamos.

No hay tiempo, sino este tiempo. No hay momento, sino este momento. "Ahora" es todo lo que hay.

Conversaciones con Dios II

El Momento Eterno del Ahora contiene todas las posibilidades; alberga cualquier resultado concebible. Es como un disco compacto que contiene un juego de computadora. Cualquier resultado concebible se programa en el disco, así es que cuando juegas, no estás *creando* el resultado, solo lo estás *eligiendo* a través de un proceso muy intricado mediante el cual *eliminas todos los otros posibles resultados, que ya existen.*

Otra vez, nada está siendo *creado* en este proceso; simplemente, se *selecciona.*

Eso es exactamente lo que está pasando en la vida.

Pues bien, lo arriba mencionado es la versión corta de esto. Una explicación exhaustiva sobre el tiempo puede encontrarse en largas secciones tanto del libro II como del libro III de la trilogía *Conversaciones con Dios*, y constituye una lectura emocionante e intrigante. El punto aquí es que es posible saber, casi es posible sentir, cuál resultado es apropiado en cualquier circunstancia y en cualquier momento durante tu vida. En especial cuando uno va envejeciendo (y por lo tanto está más "acostumbrado" a sentir las "vibras" de la vida), esto empieza a convertirse en una cuestión bastante simple.

Ahora déjame explicarte qué tiene que ver esto con la historia que Bill nos acaba de contar.

Realizar un "milagro" es solo cuestión de elegir el *resultado ya existente,* que es más adecuado para la experiencia actual en el Momento Eterno del Ahora. No es cuestión de *crear* el resultado, o *producirlo,* sino nada más de *elegirlo,* y después *anunciar tu elección* de manera clara y resuelta.

Esto es precisamente lo que hicieron el señor y la señora Johnson cuando se encontraron por primera vez con Bill Tucker en una oficina de bienes raíces hace muchos años. Y la demostración de este proceso fue algo que jamás olvidó. El Bill Tucker que conoció años después al doctor en el Hospital St. Mary en Milwaukee, no era el mismo al que habían acudido los Johnson. Él había cambiado dramáticamente. Si él hubiera sabido en la oficina de bienes raíces lo que ahora sabe, cuando los Johnson le dijeron que habían pedido a Dios una casa de la noche a la mañana, les habría contestado:

—Estoy de acuerdo con ustedes. No puedo pensar en ninguna razón por la cual no puedan tenerla. ¡Vamos a encontrarla!

El día de hoy solo cambiaría una palabra en ese comentario. Él podría pasar de *No puedo pensar en ninguna razón por la que no* a *No voy a pensar en ninguna razón por la que no.*

Es el rechazo absoluto a considerar cualquier otra posibilidad que el resultado elegido lo que prepara el Campo de Posibilidades para un milagro. Es el rechazo adicional a juzgar cualquier cosa por su apariencia lo que hace que el momento se prepare para la magia.

Para realizar milagros debes estar preparado para ignorar la evidencia de tus propios ojos, debes cerrar tus oídos y debes salir de tu mente. Si permaneces en tu cabeza y en tu mente, encontrarás una manera de salir del milagro. Cuando realizas milagros, *haces lo impensable.*

Ahora bien, para provocar cualquier cosa de estas, debes entender que la Realidad no es lo que parece ser. Debes tener en claro que vivimos en un mundo como el de Alicia en el País de las

Maravillas, donde todos parecemos estar de acuerdo en que lo Real no lo es, y lo Irreal sí. Y debes entender que, como en el País de las Maravillas, todo el mundo lo está inventando, pero lo que nadie te dice es que el *más convincente* es el que tiene más probabilidades de salirse con la suya.

Bill Tucker quizá no lo haya articulado de esta manera —y la señora Johnson definitivamente no lo habría hecho—, pero este es el proceso mediante el cual ambos han producido milagros en sus vidas.

Cuando el doctor se encontró con la madre de Bill y le dijo que su marido no duraría más de tres semanas, eso sonó convincente. Y por un momento pareció como si el doctor tuviese la palabra sobre lo que era real y lo que no. Pero la mamá de Bill había visto a su hijo en acción, así es que rápidamente acudió a él y le pidió:

—¡Haz algo!

Bill, dándose cuenta de la verdad de la situación (es decir, que los otros no necesariamente pronuncian lo que es real y lo que no), solo eligió algo más. Eligió un resultado distinto e ignoró todas las apariencias al hacerlo. Bill no puso atención a lo que vio, a lo que escuchó ni a lo que su "mente racional" pudo haber pensado.

Bill entendió que *todas* las posibilidades existen en el Momento Eterno del Ahora, que absolutamente *ninguna* posibilidad está descartada y que todo lo que debía hacer era anunciar el resultado de su elección.

Su trabajo no consistía en crear un resultado, sino en elegir tan solo uno de los muchos que ya habían sido creados, y declararlo.

¿Y qué fue lo que le hizo elegir un resultado por encima de otro?

Para todo hay una estación, y un tiempo para cada propósito bajo el cielo.

Creo que Bill, en algún nivel muy elevado —quizá supraconsciente—, sintió las vibraciones del momento y encontró un resultado de vibración similar. Eligió uno que coincidiera; invocó una experiencia que fuera apropiada para el momento, es decir, que estuviera en armonía con todo lo que estaba sucediendo.

Entonces se aferró a esa decisión, la conjuró y con audacia la anunció y declaró. Después cambió su perspectiva para eliminar cualquier otro punto de vista sobre la cuestión.

Recuerda, la perspectiva lo es todo.

Conversaciones con Dios III dice:

> Asume una perspectiva diferente y tendrás un pensamiento distinto sobre todo. De esta manera, habrás aprendido a controlar tu pensamiento y, en la creación de tu experiencia, el pensamiento controlado lo será todo.
>
> Algunas personas le llaman a esto oración constante.

Años más tarde, cuando su padre volvió a enfermarse repetidas veces, incluso después de que su hijo continuara eligiendo otros resultados, Bill de nuevo fue hacia dentro y sintió la vibración. En ese momento fue lo suficientemente sensible como para darse cuenta de que su padre estaba vibrando a una frecuencia distinta, y que el resultado que seguía eligiendo no estaba en armonía con el de su padre.

Además, esta quizá no sería la forma como Bill hablaría de ello. (O en la que cualquiera hablaría de ello, ¡para tal caso!) Pero yo creo que esto es, en esencia, exactamente lo que sucedió.

En términos religiosos más tradicionales, Bill podría decir que le "pidió a Dios" qué hacer, y después hizo a un lado la necesidad de encontrar una respuesta, rindiéndose entonces a la "voluntad divina".

En relación con los milagros, la religión tradicional también dice que entre más gente rece por uno, mayor será la probabilidad de que ocurra. Yo creo que esto es muy cierto. *Conversaciones con Dios I* aborda esto directamente:

> Grandes comunidades o congregaciones con frecuencia descubren un poder capaz de originar milagros en el pensamiento combinado (o lo que algunas personas llaman oración común).
>
> Y debe quedar claro que incluso los individuos, si su pensamiento (oración, esperanza, deseo, sueño, temor) es lo suficientemente grande, pueden producir tales resultados.

La señora Johnson con toda seguridad le demostró a Bill Tucker lo que una oración sorprendentemente fuerte puede hacer, y la vida de Bill, en su totalidad, se transformó por eso. Bill decidió en ese momento que podía hacer lo que la señora Johnson había hecho, y estaba en lo cierto.

También nosotros desarrollamos esa capacidad cuando empezamos a entender cómo funciona la vida. Es entonces cuando accedemos a lo que mi amigo Deepak Chopra llama el Campo de Posibilidades Infinitas. A Deepak una vez le preguntaron:

—¿Tenemos libre albedrío o la vida está predestinada?

A lo que contestó:

—Ambos, dependiendo de tu nivel de conciencia.

Él está en lo correcto, pues la conciencia produce perspectiva, y la perspectiva produce experiencia. Es así como tú puedes afectar la vibración.

Conversaciones con Dios dice que "toda la vida es vibración". En realidad, yo he visto cómo esta vibración afecta la estructura misma de la vida; he visto la pulsación de partículas de energía pura a un nivel submolecular. Así es que Dios no tuvo que decir mucho para convencerme.

Ahora bien, si toda vida es energía vibratoria (y lo es), entonces pueden hacerse cosas portentosas si uno cultiva la habilidad de "captar la vibra". *Esto es lo que los psíquicos hacen. Esto es lo que los sanadores hacen. Y esto es algo que todos podemos hacer.*

Entrénate a ti mismo para escuchar las vibraciones de la vida.

Primero, quizá tu "instrumento de recepción" (tu cuerpo y tu mente) deba aprender a estar quieto. Si no estás acostumbrado a estar en silencio por largos periodos, a no hacer nada sino abrirte al momento, quizá puedas tomar una clase de meditación o leer sobre esta en alguno de los cientos de libros que la abordan.

Una vez que hayas aprendido a aquietar tu mente, habrás abierto un canal a lo Divino. Pronto empezarás a sentirte más sensible a la vibración de todo. Ciertos alimentos albergarán una vibración, pesada o ligera, y empezarás a tomar decisiones sobre tu alimentación con base en qué tan en *sincronicidad* está tu vibración interna y personal con la vibración de esa comida particular en ese momento particular. Lo mismo sucederá con la ropa y, sí, con la gente.

Y al final, completa la *gestalt*: empezarás a sentir la vibración de cada circunstancia con la que te topes, y conforme te adentres para después ver hacia afuera, empezarás a sentir las vibraciones de toda circunstancia en la que otras personas se encuentren. Si esas personas no han aprendido a aquietarse, quizá tú sientas las vibraciones de su circunstancia *mejor que ellas*.

Aquí es cuando otros dirán que tú eres "psíquico", pero todo lo que habrás hecho es recoger la vibración que alguien ha elegido a partir del infinito Campo de Posibilidades. Eso es todo lo que un psíquico hace. Eso es todo lo que —a un nivel mucho más elevado— hacen los maestros espirituales.

Eso es todo, pero es mucho, si puedes entrenarte para recoger información como esa, contarás con una nueva herramienta, increíblemente valiosa, para la creación de tu *propia* experiencia.

Sin embargo, este mundo ilusorio crea demasiada "interferencia" para que nosotros podamos detectar una vibración, para que nosotros sepamos lo que está sucediendo, lo que es adecuado en el momento. Es ahí cuando tenemos que confiar en habilidades más grandes, en habilidades motoras gruesas para abrirnos paso en la vida. Es difícil, pues tenemos que movernos alrededor de energía muy pesada y muy densa (como la de nuestros cuerpos). La existencia quizá produce demasiada estática, y nuestra "sintonización fina" está "fuera de servicio", así es que no tenemos tanta claridad como Bill Tucker, quien se interiorizó y preguntó lo que debía hacer respecto a su padre.

¡Si tan solo supiéramos qué hacer! Por favor, Dios mío, *danos una señal*, decimos. Pero ¿realmente pensamos que Dios va a hacerlo? Digo, el que la mariposa monarca se posara en la mano de Susan Tooke fue una coincidencia, ¿cierto? ¡Dios no nos "da una señal" cuando se lo ordenamos!

¿O sí lo hace?

18

Una gran señal

*H*ace cuatro años, Susan tomó la decisión de emprender la batalla contra su alcoholismo. Estaba cansada de dañar a otros… y a sí misma. La bebida excesiva había causado estragos en cada área de su vida. Estaba enferma, asustada, deprimida, tenía sobrepeso y se encontraba en una muy mala situación económica. Además, Susan tenía una enorme deuda, un departamento cuya renta era muy alta y un salario muy modesto. A pesar de este oscuro escenario, algo bueno era que no había tomado en seis semanas.

Susan ingresó recién a Alcohólicos Anónimos. Su madrina era una maravillosa señora que siempre estaba presente cuando la necesitaba. Susan asistía a las reuniones de manera regular y había tomado la decisión consciente de permitir que Dios manejara la pesadilla en que se había convertido su vida durante los últimos años. Sintió que había llegado el momento de confiar en algo superior, pues era la única manera de vencer la adicción.

Aquel viernes por la tarde, Susan se dirigía al cajero automático de la esquina para sacar sus últimos setenta dólares. *Faltan ocho días para que me paguen*, observó con desesperación. Con los setenta dólares debía comprar comida, cigarros y pagar el boleto del autobús.

Con un nudo en la garganta y descorazonada ante la falta de opciones, Susan apretó los botones correctos, tomó el efectivo de la ranura y colocó el dinero en su cartera. Después, se dirigió a la heladería, pues los helados sustituyeron al alcohol en su adicción.

Quizás el sabor dulce le ayudaría a olvidar sus problemas durante unos cuantos momentos.

—Quiero un helado doble de almendra y chocolate —Susan le dijo a la chica que estaba detrás del mostrador. Pensó que el helado podría ser su cena.

—Son 2.75 dólares —dijo la vendedora, entregándole un cono que se veía delicioso, y enorme.

Susan abrió su cartera, con los dedos buscó los tres billetes de veinte dólares para llegar al de diez, que sabía estaba ahí. Pero no había tres billetes de veinte dólares, sino solo dos… junto con uno de diez…, ¡y un billete de mil!

El corazón de Susan se detuvo. ¿Había visto bien?

La chica detrás del mostrador repitió:

—Son 2.75 dólares, por favor —dijo con un poco de impaciencia.

Susan volteó a verla con una mirada atónita; trataba de recuperar su aliento.

—Seguro, perdona.

Sacó el billete de diez dólares y se lo entregó. La chica fue a buscar el cambio.

¡El cajero automático le había dado un billete de mil dólares en vez de uno de veinte! Susan estaba pasmada. ¡Difícil creer en su increíble buena suerte! Tan pronto como la chica regresó con el cambio, Susan se dio la vuelta y salió disparada de la tienda, aventando el cono a la basura. Su apetito desapareció en un dos por tres.

Aunque sabía que eso estaba… pues mal… una parte de ella empezó a pensar en quedarse con el dinero. *Podría pagar el recibo del teléfono*, pensó. O *comprar un nuevo abrigo para el invierno, o quizá ponerme al corriente con esos pagos de la tarjeta de crédito.*

Otra parte de ella le decía que el dinero no era suyo, y que no sería honesto quedárselo; y la sobriedad depende de la honestidad.

Susan había acordado ver a su madrina para ir a una reunión esa misma noche. Empezó a caminar las ocho o nueve cuadras hasta la casa de su amiga, discutiendo internamente durante todo el camino. Sabía que si hablaba con su madrina sobre el dinero, se vería obligada a devolverlo; también sabía que si decidía no contarle a su madrina, acabaría quedándose con el dinero, y mintiendo.

Susan no quería mentir, pero tampoco deseaba regresar los mil dólares, pues en verdad los necesitaba. *¿No podía considerarse esto como un regalo del universo?* Susan trataba con todas sus fuerzas de encontrar una justificación para quedarse con la ganancia inesperada.

Dios mío... ¿qué debo hacer? Preguntaba en su interior. *Dime qué hacer, dame una señal,* suplicó.

Para cuando Susan llegó a la casa de su madrina, se le había aclarado el panorama. Se dio cuenta de que sin la ayuda de su amiga no podría lograrlo. Debía decírselo.

Ambas se sentaron en los escalones del porche contemplando la calle. La luz en el cielo empezaba a menguar mientras Susan contaba su historia y confesaba la tentación de quedarse con el dinero, y su lucha interna.

Cuando terminó, su madrina le dijo con tranquilidad,

—Bueno, Susan, eso sí que es un dilema.

Susan asintió con tristeza.

—Mil dólares en verdad pueden serte de mucha ayuda financiera en este momento —continuó.

—Es cierto —estuvo de acuerdo Susan—, pero quedarme el dinero sería otra razón más para sentirme culpable en la vida, y ya cuento con muchas de esas.

—¿Lo hará? —preguntó su madrina.

Susan no dijo nada. Durante un rato solo estuvieron ahí observando cómo las estrellas se hacían visibles en el cielo nocturno. Después, Susan rompió el silencio.

—Voy a devolver el dinero. Es lo correcto, ¿no es cierto?

Tan pronto como hizo la pregunta, empezó a dudar.

—Digo, es la única opción, ¿cierto? Ay, si tan solo Dios me diera una señal, ¡entonces sabría!

Definitivamente le vendría muy bien una señal de confirmación del universo en este momento.

Justo en ese instante, la madrina de Susan miró hacia el jardín y vio un pequeño objeto, fue hacia él, lo tomó y sonrió ampliamente.

—Aquí está tu señal —dijo, mientras le daba a Susan un objeto pequeño y brillante—. Aquí están tus mil dólares.

Era un pequeño llavero... ¡una réplica en miniatura de un billete de mil dólares! Susan recuperó el aliento. El llavero estaba un poco maltratado, y quién sabe de dónde había venido o cuánto tiempo llevaba tirado ahí; sin embargo, era para Susan. Su corazón se aceleró por segunda vez ese día. *¡Y yo que pedía una señal!* Pensó, casi riéndose en voz alta. Ella le sonrió a su madrina y deslizó la chuchería en su bolsillo.

Al día siguiente, devolvió el dinero.

Hasta hoy esa pequeña baratija sigue siendo una de sus posesiones más preciadas, puesto que le sirve como recordatorio de la confianza en Dios. Ella tomó la decisión de vivir su vida confiando en que el Universo le dará lo que verdaderamente sea mejor para ella.

Aquel viernes, Susan había dicho que mil dólares era justo lo que necesitaba para salir de sus apuros financieros, pero eso no era del todo cierto. Lo que realmente necesitaba era confiar.

Confiar en Dios.

Confiar en otros.

Y confiar en sí misma.

La solución a largo plazo es la confianza, decidió ella aquel día. Y las soluciones a largo plazo eran lo que Susan buscaba.

Ahora, cuatro años después, Susan es económicamente solvente, tiene un trabajo más seguro y mejor pagado; ha perdido quince kilos, hace ejercicio con regularidad, ha dejado de fumar y, lo mejor de todo, ha podido permanecer sobria. Está casada con un hombre maravilloso, amable, inteligente y divertido con quien comparte una vida espiritual. Y Dios sigue viniendo a ella en muchas formas, todos los días.

Ah, ¿y el llavero?

¿Crees que no va a todos lados con ella?

Bueno, bueno. Entonces Dios *sí* nos da una señal cuando se lo ordenamos, pero la señal no puede decirnos qué es lo "correcto", solo puede darnos a conocer nuestras opciones. Lo que las "señales" de Dios hacen con frecuencia es sobrecogernos y, por tanto, aclarar nuestra mente y hacer más evidentes nuestros propios valores.

Conversaciones con Dios dice:

Cada acto es un acto de autodefinición.

Eso es lo que estamos haciendo aquí. De eso es de lo que somos capaces. Estamos en el acto constante de definirnos a nosotros mismos, y después recrearnos en nuestras siguientes versiones. Por suerte, esa versión es la mejor de la visión más perfecta que hayamos tenido sobre quiénes somos. Aunque eso no sea una garantía.

El dilema de Susan es nuestro dilema. ¿Qué está bien? ¿Qué está mal? Sin embargo, en la serie de libros *Con Dios*, la declaración se hace una y otra vez: *No hay tal cosa como lo que está bien y lo que está mal*. Estos son términos relativos, dicen los libros, y los seres humanos cambian de opinión sobre qué acción es buena o mala una y otra vez a lo largo de los años.

Por ejemplo, ¿está mal tomar dinero que no es tuyo? Bueno, pues si eres Susan, quizá creas que lo está. Por otro lado, si eres Robin Hood, quizá creas que no. Por supuesto que algunos podrían decir que Robin Hood les robaba a los ricos para darles a los pobres. Pero ¿no es casi lo mismo guardarse el dinero que pertenece a una enorme corporación (que puedes argumentar llegó a la cima por vías no muy limpias) y dárselo al pobre llamado "tú"? ¿El ser pobre justifica que robar esté bien?

¿Qué hay del hombre que roba para alimentar a su familia? ¿Qué hay del que roba para alimentarse a sí mismo?

En fin, creo que lo importante que debe hacerse notar aquí no es que Susan haya "hecho lo correcto" al devolver los mil dólares, sino que su decisión de regresar el dinero la hiciera sentirse bien consigo misma. Ella decidió que guardar el dinero no era la versión más elevada de sí misma, y también decidió que quería vivir su versión más elevada. Esta no es la elección que todo mundo hace, pero fue la que ella tomó, y no la hace mejor ni peor que nadie más. Simplemente... la hace Susan.

Cuando nuestra protagonista recibió su señal de Dios, esa señal no le dijo que regresara el dinero ni que se lo quedara porque lo merecía y era un regalo del cielo. No dijo ni una ni otra cosa.

Cuando Susan recibió su señal, *leyó* el significado *que ella colocó ahí*. Y aunque quizá no era el sendero más sencillo, decidió cuál era su versión más elevada y la vivió. El hecho de actuar de la mejor manera ante sus propios ojos fue lo que la condujo a sentirse mejor consigo misma, y eso a su vez la llevó a tomar otras decisiones saludables. (Las decisiones saludables se definen como elecciones que te hacen sentir bien contigo mismo.) Y esas elecciones son las que producen resultados estupendos a largo plazo.

Las señales de Dios son maravillosas. Y como con todas las experiencias relatadas en este libro, también son muy comunes.

Algunas veces, las señales de Dios son difíciles de identificar.

Y algunas veces es muy difícil que pasen inadvertidas...

19

Música para los oídos

M ark Fitchpatrick estuvo intranquilo toda la noche, entraba y salía de un sueño irregular. No tenía sentido seguir tratando de dormir, así es que estiró el brazo hasta tocar la lámpara y parpadeó cuando la luz inundó la habitación. Sus ojos cansados se posaron en el libro del buró, donde lo había puesto hacía solo una hora.

Condenado libro, gruñó internamente, *¿por qué estoy dejando que me llegue esto?* Acomodó su almohada y se sentó. *Sería bueno acabarlo de una vez, pues de todas maneras no puedo apartarlo de mi mente.*

El libro fue un regalo de uno de los amigos de Mark, quien pensó que podría disfrutar su lectura. Mark siempre había tenido una vida espiritual, pero la doctrina del infierno y la condena que le enseñaron en la iglesia de su infancia le parecía, en el mejor de los casos, una verdad a medias, y en el peor, una rotunda mentira. En este momento, encaminándose a su quinta década en el planeta, Mark buscaba un punto de vista distinto respecto a Dios, que coincidiera más con su propio corazón. Este libro, *Conversaciones con Dios*, parecía estarlo articulando para él. Más que eso, satisfacía algo profundo en su alma.

El hecho de que Dios nos ame de manera incondicional, *realmente* sin condiciones —lo que quiere decir que Dios no juzga ni castiga—, era un concepto que para Mark tenía sentido. La declaración de que somos nosotros quienes creamos las condiciones mediante las cuales podemos saber quiénes somos en verdad como seres humanos y espirituales, fue una idea que resonó con la visión que Mark tenía de su propia existencia.

De cualquier manera todo era tan... pues tan difícil de aceptar a nivel intelectual. Las ideas que le habían presentado en sus años formativos estaban arraigadas.

¿Cómo es posible que pueda creer que esto es verdad? Mark luchaba con sus pensamientos durante el sueño. *Todo lo que se me ha dicho... en la iglesia, en la casa, en la escuela... parece ser lo opuesto a este mensaje.*

Se preguntaba si el libro no era resultado de la imaginación hiperactiva de un escritor inteligente, o peor aún, una artimaña literaria para vender.

Sin embargo, Mark sabía en su corazón que no importaba, el punto aquí era ver a Dios y quién podría ser Dios para Mark.

He sabido esto toda mi vida, seguía repitiendo una y otra vez en su mente. *No hay nada en este libro con lo que no pueda estar de acuerdo.* Pero no podía dar el paso final que le permitiera conquistar su última punzada de duda.

Decidido de nuevo a intentar dormir, Mark apagó la luz. Empezaba a quedarse dormido y la discusión mental continuaba, incluso al entrar y salir del estado de vigilia. Mark se preguntaba una y otra vez: *¿Es real todo esto?* Y de alguna manera se contestaba a sí mismo. ¿O era que estaba *recibiendo* respuestas? Era difícil saberlo.

Durante toda la noche Mark estuvo consciente de su conversación con alguien, o algo. En un momento dado tuvo instantes de mucha lucidez y escuchó a su mente decir, a quemarropa: *Quiero que esto sea real. Dame una señal de que esto es real.*

Fue entonces cuando llegó una respuesta clara y una fuerte voz retumbó en la conciencia de Mark, diciendo:

Te doy señales todos los días. ¿No escuchas? Te he dado la música; te he dado las rocas y los árboles. ¿No escuchas mi voz cuando un pájaro canta y el pasto cruje? ¿Qué más necesitas?

Mark se irguió de repente y contempló que el sol se derramaba por la ventana. Volteó a ver el cuarto iluminado, dándose cuenta de que por fin había llegado la mañana, y mientras esas últimas palabras de su sueño continuaban haciendo eco en su cabeza, el estribillo de un viejo himno bautista empezó a sonar en su mente. Mark empezó a tararear mientras hacía a un lado la cobija…

> *Este es el Reino de mi Padre*
> *y para mis oídos que escuchan*
> *toda la naturaleza canta*
> *y a mi alrededor suena*
> *la música de las esferas.*
>
> *Este es el Reino de mi Padre,*
> *descanso en el pensamiento*
> *de rocas y árboles; de cielos y mares.*
> *Su mano las maravillas forjó.*
>
> *Este es el Reino de mi Padre,*
> *Él brilla en todo lo bello;*
> *en el crujir del pasto lo escucho pasar,*
> *me habla en todos lados.*

De pronto cayó en cuenta y quedó paralizado. ¡Esa canción transmitía el mismo mensaje que le habían dado en su sueño! La letra del himno que se repetía una y otra vez en su cabeza eran las palabras que escuchó en la noche, la respuesta a su petición de una señal.

Esto es interesante. Mark reflexionó cuando se preparaba para ir a la iglesia. Era domingo en la mañana, y nuestro protagonista solía ir al primer servicio en la iglesia metodista a la que asistía en últimas fechas.

Mientras se vestía, continuó tarareando la melodía. Sintió extrañeza ante lo descansado que estaba, a pesar de haber leído hasta tarde y dormir tan poco. También sentía una serenidad inusual, como si la discusión en su cabeza de alguna manera se hubiera resuelto.

Se dio cuenta de la hora.

Oye, Mark, apúrate o te vas a retrasar.

Hurgó en los bolsillos de su abrigo en busca de sus llaves, azotando la puerta tras él.

Al echar en reversa el auto para salir de la cochera, pensó que quizá podría apagar la tonada de su cabeza prendiendo el radio. Estiró el brazo para encenderlo y, de repente, retumbó desde la bocina un dulce coro que cantaba: *Este es el Reino de Mi Padre...*

Mark apretó con fuerza el freno y miró atónito hacia el radio. *¿Queeeeé?* ¡No podía creer lo que estaba escuchando! *¿Qué ES esto?* Se preguntó a sí mismo. Mirando más de cerca, observó que el radio estaba sintonizado en una estación que jamás escuchaba; era una estación de música en FM, y Mark siempre lo tenía en una estación AM que transmitía programas de opinión.

¿Quién había cambiado la estación? Es más, ¿cómo es que esta canción en particular había llegado en este momento particular? Mark estaba estupefacto.

Está bien, Dios. Te escucho. He recibido mi señal. No tienes que pegarme en la cabeza con ella.

Las lágrimas empezaron a formarse en los ojos de Mark. *Bueno, pide y recibirás*, concedió.

Era un hermoso día en Atlanta. La primavera llega temprano y siempre es bienvenida después de los meses de frío y lluvia. Los cornejos empezaban a florecer aquí y allá y el narciso ocasional se asomaba por la tierra. Era el tipo de día que hacía pensar en la Pascua, y en nuevos comienzos.

Cuando el servicio empezó, el ministro encargado de la música le pidió a la congregación que se parara. Mark observó, como siempre lo hacía, el encantador vitral que mostraba a Jesús como un pastor. El rojo profundo de su túnica contrastaba con el pequeño cordero blanco en sus brazos. A Mark siempre le había encantado esta representación particular del aspecto de Cristo como un protector gentil, pues guardaba un parecido más íntimo con el Jesús que residía en su corazón.

—Por favor pasen a la página cincuenta y nueve de su himnario, la canción con la que abriremos esta mañana.

El coro condujo a la congregación al compás de esta hermosa melodía que empezó a flotar llenando el recinto:

Este es el Reino de Mi Padre...

¡Mark tuvo que agarrarse del respaldo del banco frente a él! Se quedó parado ahí temblando y con el corazón latiendo con fuerza. *¡Lo entiendo!* Casi gritó. *¡Gracias! ¡Lo entiendo!*

Mark supo entonces, sin lugar a dudas, que la voz que había estado escuchando toda su vida, durante el sueño y la vigilia, era la voz de Dios; una voz que le recordaba que es el Dios del amor... y de las piedras y los árboles, y los cielos y los mares.

Y el mismo Dios de su más elevada concepción.

¿Coincidencia? *Conversaciones con Dios* dice que no hay tal cosa como las coincidencias. Si creemos eso, si creemos que las cosas suceden con un propósito, por una razón, entonces ya estamos en camino hacia develar lo que se nos ha dicho que es la maquinaria indescifrable del universo.

Pequeñas cosas, grandes cosas, cosas en medio: todo proviene de Dios, y nada es un desperdicio.

Seguramente alguna vez has elevado una profunda plegaria a Dios en una noche llena de estrellas y le has pedido:

—Dios mío, si puedes escucharme ahora, por favor, por favor, házmelo saber. Házmelo saber *de alguna manera*.

Y, *en ese momento exacto*, una estrella fugaz surca el cielo.

Seguramente alguna vez has gritado desde el interior de tu corazón: *Mamá, sé que debías irte cuando lo hiciste, pero si solo pudiera saber que estás en un buen lugar, que estás bien y feliz. Si tan solo pudieras venir hacia mí para darme una señal.*

Y, en ese momento, alguien que pasa por donde tú estás en la iglesia o en el velatorio o donde sea, *lleva la misma fragancia que usaba tu mamá.*

Ahora déjame hacerte una pregunta.

¿Crees que estas cosas suceden por casualidad?

Cuando necesitas ayuda de cualquier tipo, cuando tu corazón se está rompiendo, cuando tu alma está lastimada, cuando sientes tristeza o depresión, vergüenza o culpa o miedo, o cuando tienes la necesidad de una curación, ten la certeza de que Dios está contigo.

En una manifestación u otra, Dios está ahí. Quizá como un Ángel o una Guía o una Voz. O quizá como tu Ser Superior. O como tu perro que viene a ti para lamerte la mano justo cuando necesitas consuelo.

O como esa señora que deja un espacio vacío de estacionamiento frente al edificio, justo cuando necesitabas desesperadamente no llegar tarde.

O un venado que atraviesa el camino, justo cuando necesitabas sentir la tranquilidad de que has hecho realmente todo lo que una madre puede hacer…

20

El mensaje de una madre

*E*l sol de septiembre bailaba en el parabrisas lleno de escarcha, mientras Nancy Hampson manejaba a lo largo de la autopista interestatal 5, desde Seattle hasta Olympia. Ella no pudo dejar de reflexionar sobre su vida justamente aquel día, pues llevaba a su hija menor a la universidad.

El auto estaba atestado con los libros y la ropa de Joanie, así como con pequeñas piezas de mobiliario. Nancy volteó a ver a su hija, sentada junto a ella. La mujer más joven veía hacia delante, con esperanza y asombro dibujados en el rostro.

Nancy recordó ese sentimiento. Es maravilloso compartir estos momentos con tus hijos, entenderlos de una manera que solo es posible cuando uno se convierte en madre.

Nancy había recibido su grado de licenciatura muchos años antes, pero en vez de embarcarse en una carrera profesional se había entregado a ser mamá. Ella aceptó una ocupación tediosa y sin mucho porvenir, pues le permitía trabajar desde casa y estar disponible para sus hijas. Ahora esa devoción había rendido sus frutos, pues sus hijas eran sanas, felices y su futuro prometía ser brillante.

Nancy había anticipado este momento de la partida de su última hija; lo que no había anticipado era la cacofonía de emociones que la recorrerían, y las muchas preguntas que se aglomerarían en sus pensamientos. *¿Está lista Joanie para estar sola?* Y quizá de manera más dolorosa, *¿estoy lista yo para estar sola?*

Nancy recreó cada recuerdo feliz y no tan feliz del crecimiento de Joanie, deteniéndose a sentir culpa de nuevo por los dos divorcios y las múltiples reubicaciones. *Bueno*, suspiró, *es muy tarde para recriminaciones ahora. Lo hecho, hecho está.*

De todas maneras sintió que se llenaba de arrepentimiento, y respiró profundamente.

Saliendo de la autopista para tomar un camino tranquilo y boscoso que conducía a la escuela, Nancy observó las hojas de los árboles que empezaban a cambiar un poco de tono, pronto se verían de un flameante color rojo y dorado. Ella amaba esta época del año y esta parte del país —la zona noroeste del Pacífico—, donde había decidido establecerse definitivamente. En aquellos momentos ella debía sentirse serena, como la campiña misma, pero no. Ese día tenía que enviar a su hija a una nueva aventura, al siguiente viaje de su vida.

Nancy experimentó la agitación interna que, en un momento como este, solo una madre puede entender por completo.

Algo que se movía a su izquierda atrapó su atención. Su corazón latió fuerte y decidió frenar hasta detenerse. Una hermosa cierva cruzó primero el camino y luego se detuvo para dejar que su cervatillo la alcanzara, protegiéndolo, mostrándole el camino. Después la madre lo empujó suavemente hacia arriba de la pendiente que estaba al otro lado. Antes de desaparecer en el bosque, la cierva volteó y miró por largo tiempo a la madre en el auto.

Nancy sostuvo la mirada.

Algo pareció ocurrir entre ellas.

Algo... *se sintió*.

Algo *que solo podría pasar entre madres*.

Enseguida la cierva se volteó y desapareció en el bosque, detrás de su pequeño.

Nancy no se había dado cuenta de lo cerca que estuvo de llorar, pero mirar fijamente al venado abrió algo en su interior que había permanecido apretado. Lágrimas acumuladas se derramaron por su rostro conforme cobraba conciencia del perfecto regalo de ese instante. Una impresionante metáfora de su propio conflicto interno había sido representada para ella.

Claro que cometió errores; claro que había sido menos de lo que le hubiese gustado ser como madre; muchas veces tomó decisiones cuestionables. Pero como la cierva, había guiado a su pequeñita con cuidado hasta ahora; había tratado de protegerla; le había mostrado el camino y ahora estaba aquí para ayudarla a iniciar su propio sendero.

La paz y la gratitud sustituyeron en forma instantánea la agitación en el corazón de Nancy. Se limpió las lágrimas, metió la velocidad del auto y susurró: *gracias a Dios por la gloriosa lección*. Internamente, bendijo al pequeño cervatillo y a su Joanie en su camino hacia el futuro.

Nosotros también nos encontramos en nuestra vía al futuro. Somos una descendencia amada abriéndose paso a través de este nuevo milenio, empezando a entender cosas que difícilmente podíamos comprender antes, preparándonos para hacer las preguntas más importantes de la vida, ávidos de resolver los grandes misterios del universo.

Hemos sido miembros de una sociedad muy joven, tú y yo. Algunos podrían hablar de una sociedad primitiva. Pero estamos a punto, finalmente, de llegar a la madurez, de crecer y descubrir nuestros seres superiores. Llevamos hacia nuestro futuro un potencial enorme y extraordinario. Tenemos todo el equipo que necesitamos para enfrentar nuestro asombroso futuro. Contamos con la tecnología y el ingenio para crear tecnología inclusive superior. Poseemos el entendimiento y la habilidad para alcanzar un conocimiento aún más grande. Todo lo que necesitamos ahora es un pequeño empujón en la dirección correcta.

El tiempo de nuestro surgimiento está a la mano. Es momento de cruzar el camino, de ascender la cuesta del otro lado.

Podemos lograrlo, y será mucho más fácil si sabemos que tenemos ayuda, que contamos con un socio, un cocreador, un amigo; que Dios está de nuestro lado bendiciendo nuestro viaje, enseñándonos el camino, empujándonos un poco.

Estos "empujones" de Dios son lo que yo he llamado Momentos de Gracia. Adoptan muchas formas, con frecuencia en lugares y tiempos extraños, pero siempre de una manera perfecta.

Nuestro desafío consiste en no perdernos estos momentos; más aún, hay que transmitirlos, pues una de las mejores formas de impulsarnos los unos a los otros es participar en la metamorfosis de la realidad colectiva. De esta manera el resultado será la transformación de la mente colectiva que permitirá recrear nuestra experiencia común en el planeta.

La sociedad actual se encuentra limitada en su entendimiento; la comprensión de las cosas no siempre incluye claridad sobre lo que sucede. Las energías que giran y los tipos de relación con lo Divino se manifiestan en los Momentos de Gracia.

Por una parte, la religión nos dice que los milagros son posibles, y creemos en ellos; sin embargo, por otra, se nos dice que los milagros son inusuales, extraordinarios, inusitados. Lo que tenemos oportunidad de hacer, entonces, es demostrar que justo lo opuesto es verdad.

Desearía, algún día, poder llegar a ver un enorme espectacular en cada ciudad y pueblo con un mensaje de cuatro palabras que pudiera realmente cambiar la visión de la gente sobre la forma en que la vida funciona:

LOS MILAGROS SON COMUNES

Eso es una contradicción, ¿no es cierto? Digo, ¿cómo puede algo ser un "milagro" si sucede todos los días? Pero esa es la belleza del mensaje. Se opone a la cultura actual y declara que lo inusual es común en realidad.

Ese es un mensaje que el mundo haría bien en escuchar ahora. Sería lindo saber que los acontecimientos espirituales de la Biblia y el Corán, y el Bhagavad Gita y el Libro del Mormón, y todas las sagradas escrituras de todas las tradiciones sagradas no son para nada extraordinarios, *sino que nos suceden a todos nosotros todos los días.*

Quizás ha llegado el momento de desmitificar al misticismo. Quizás es tiempo de bajar de las nubes a Dios, pues él está tanto en la Tierra como en el Cielo.

Una vez que entendamos y en verdad sepamos que Dios está justo *aquí* y *ahora*, el espacio del Aquí y el Ahora se abrirá ampliamente a las posibilidades más extraordinarias.

Pero la historia nos enseña que la raza humana no llegará a este entendimiento solo porque la religión así lo quiera. Estas no son verdades que se adoptarán a través de su enseñanza, sino después de que se demuestre que representan, de hecho, *la experiencia real de los seres humanos*. Es por esto que compartir nuestras experiencias de Dios y contarle a la gente sobre nuestros Momentos de Gracia puede ser —y es— tan impactante. Y es por esa misma razón que el libro termina con...

21

La Invitación

*L*a pregunta que en última instancia quiero abordar en este libro no es si hay mucha gente que en verdad experimenta momentos divinos. La pregunta fundamental es: ¿qué hace la gente después de experimentar esos momentos?

Algunas personas los hacen a un lado, los descalifican, los mantienen en silencio o incluso tratan de olvidarlos; otras, como las que aparecen en este libro y muchas más que nos han escrito, los comparten abiertamente para que no solo ellas, sino gente en todos lados puedan ser inspiradas por estos momentos, aprender de ellos y llegar a recordar algo que siempre han sabido. A mí me parece que quienes lo hacen ayudan a curar el mundo.

Sin embargo, ¿por qué preocuparse de curar el mundo si —como *Conversaciones con Dios* declara— todo es perfecto como es?

Bueno, pues existe una sola razón para hacer cualquier cosa —usar la ropa que usamos, conducir el carro que conducimos, ingresar al grupo al que ingresamos, comer la comida que comemos o contar la historia que contamos—, y esa razón es decidir quién eres.

Todo lo que pensamos, decimos y hacemos es una expresión de lo que somos. Todo lo que elegimos y ponemos en acción es su manifestación. Estamos en el proceso constante de recrearnos nuevamente en la siguiente versión de nosotros mismos.

Lo hacemos de manera individual y colectiva cada minuto de cada día. Algunos de nosotros lo hacemos conscientemente, y algunos otros inconscientemente.

La conciencia es la clave; la conciencia es todo. Si estás consciente de lo que estás haciendo, y por qué lo estás haciendo, puedes transformarte a ti mismo y al mundo. Si no estás consciente, no puedes cambiar nada. Es cierto que las cosas en tu vida y en tu mundo se modificarán, pero tú no tendrás que ver en el asunto. Te percibirás como un observador, como un testigo pasivo, quizás incluso como una víctima.

Y aunque eso no sea lo que tú eres, así lo creerás.

Así se dan las cosas cuando te creas a ti mismo y a tu mundo de manera inconsciente. Haces cosas, inviertes energía, *pero no tienes idea de lo que estás haciendo*.

Por otro lado, si estás Consciente, si sabes y entiendes que cada pensamiento, palabra y acción derraman jugo creativo en la maquinaria del universo, experimentarás tu vida de manera totalmente distinta. Te verás como George Bailey en la película *Qué bello es vivir*, quien al último entiende que puede haber un increíble impacto final a partir de la suma de tus elecciones y acciones. Habrás retrocedido para ver la belleza del diseño del tapiz, y estarás súper consciente del entretejido que se requirió para producirlo.

Si el mundo ahora es como quieres que sea, si es un reflejo de tu pensamiento más elevado sobre ti mismo y sobre los seres humanos como especie, entonces no hay razón alguna para "curar" nada.

En cambio, si no estás satisfecho con las cosas como son, si detectas posibles cambios en nuestra experiencia colectiva, entonces quizá tengas una razón para contar tu historia.

En mi opinión, veo que deambulamos en este planeta con un gran conjunto de pensamientos falsos sobre nosotros mismos. Estos son parte de los Diez Engaños del Hombre que mencioné en el capítulo 8, y que se discuten detalladamente en *Comunión con Dios*. Ese libro también explora cómo podemos vivir *con* estos engaños, pero no *en* ellos, y por último revela la forma de acceder a una experiencia directa de Dios, en cualquier momento que elijamos.

Esto es algo bueno, es información que podría cambiar al mundo, pero el punto más importante es que nada del material de los libros *Con Dios* estaría disponible para nadie si su autor se hubiera sentido renuente a compartir, a abrirse ante los demás, a decir cosas increíbles, a hacer declaraciones sorprendentes sobre su conversación particular...

Sinceramente, no pretendo que esto sea una alabanza propia, sino un estímulo para todos *ustedes* que han sido tocados por lo Divino en formas que no pueden negarse. Por tanto, si el mundo no es un reflejo exacto de tus pensamientos más elevados, *entonces tuya es la oportunidad, como fue la mía, de abrirte, de decir tu verdad, de compartir tu historia y de elevar nuestra conciencia*.

Ahora se nos está dando la oportunidad de movernos al siguiente nivel o continuar operando en este planeta como una cultura primitiva, imaginando que estamos separados de Dios y los unos de los otros.

Cuando entrevisté a la extraordinaria futurista y visionaria Barbara Marx Hubbard para escribir su biografía, *The Mother of Invention* (La madre de la invención), discutimos a fondo los desafíos a los que nos enfrentamos. Barbara dice que por primera vez en la historia humana los miembros de nuestra especie no solo observan su propia evolución, sino que la crean de manera consciente; no solo atestiguamos nuestra conversión, sino que *elegimos* aquello en lo que nos queremos convertir.

Por supuesto que siempre hemos hecho esto, solo que no lo sabíamos, pues no teníamos conciencia del papel que estábamos desempeñando en la evolución de nuestra especie. Sumidos en el Engaño de la Ignorancia, imaginábamos solo "observar lo que sucedía". Hoy, muchos de nosotros nos damos cuenta de que participamos en ese acontecimiento.

Lo hacemos al desplazarnos del sitio llamado "efecto" al lugar conocido como "causa" en el Paradigma Causa-Efecto. Sin embargo, si un mayor número de gente no hace ese desplazamiento, fácilmente podríamos derrumbarnos como las otras civilizaciones que, alguna vez magníficas, deliraron de grandeza. Estas habían desarrollado increíbles portentos y herramientas extraordinarias para manipular sus mundos, pero su tecnología era mucho mayor que su entendimiento espiritual, lo que dejaba a esta gente sin una brújula moral, sin una comprensión mayor, sin una Conciencia de lo que estaban haciendo, hacia dónde se dirigían y por qué. Por todo ello, siguieron el camino de la autoaniquilación.

Ahora, nuevamente, nuestra sociedad Terrenal ha llegado a este mismo precipicio. Estamos en el borde, a punto de caer. Muchos de nosotros de manera individual lo podemos percibir. Todos nosotros, de manera colectiva, nos hemos visto impactados por esto.

Hemos llegado a una encrucijada importante, pues no seguiremos avanzando de forma segura con nuestro entendimiento limitado. Podemos tomar un camino o el otro, pero si no sabemos por qué lo elegimos, estamos arriesgando el futuro de nuestra especie.

Ahora debemos lidiar con preguntas más importantes, acoger respuestas trascendentes, concebir pensamientos más profundos, imaginar mayores posibilidades, tener visiones superiores.

La tecnología nos ha llevado a la cima de nuestra comprensión. ¿Vamos a caer, desplomándonos hacia nuestra muerte colectiva, o vamos a saltar de la cima y volar?

Podemos clonar formas de vida, y dentro de poco tiempo estaremos ante la posibilidad de clonar humanos. Hemos decodificado el genoma humano. Podemos hacer ingeniería genética, producir animales y plantas transgénicos y desentrañar la vida misma y volverla a unir.

¿A dónde nos llevará todo esto? Escuchemos a Francis S. Collins, director del Instituto Nacional de Investigaciones del Genoma Humano, como lo cita el escritor Michael Kimmelman en la publicación del 16 de febrero de 2001 del *New York Times*:

No me sorprendería que en 30 años algunas personas empezaran a proponer, como Stephen Hawking lo ha hecho, que debamos hacernos cargo de nuestra propia evolución y no conformarnos con nuestro estatus biológico actual. De esta manera, podríamos perfeccionarnos como especie.

Y yo te digo que llegará un tiempo en que la idea de los seres humanos de una vida como la actual —abiertos a lo que Shakespeare llamó *las pedradas y las flechas de la mala fortuna*, sujetos a los caprichos de la Naturaleza y la confluencia accidental de acontecimientos biológicos—, no solo será vista como primitiva, sino que será inconcebible.

Conversaciones con Dios dice que los seres humanos fueron, de hecho, diseñados para vivir por siempre. O al menos tanto como quisieran. Con excepción de los accidentes, la muerte no es algo que deba llevarse a nadie cuando no lo quiere, mucho menos de manera sorpresiva. Un enorme porcentaje de nuestras enfermedades humanas, nuestras incomodidades biológicas, nuestras desgracias sistémicas, es prevenible o curable incluso hoy. Si nos dan otras tres décadas, bien podrían ser *completamente* evitables. *¿Entonces qué?*

En ese momento *tendremos* que abordar una vez más, y con una mente totalmente abierta, las preguntas más importantes de la vida, a las que ahora solo nos acercamos con vacilación y timidez, sin deseos de blasfemar ni ofender. Creo que las respuestas a esas preguntas determinarán cómo usaremos nuestras nuevas tecnologías y habilidades, y si somos capaces de producir milagros o debacles.

Pero primero debemos estar dispuestos a *encarar* estas preguntas y no evitarlas, o peor aún, imaginar en nuestra arrogancia que ya las hemos enfrentado y que, para este momento, contamos con todas las respuestas.

¿Lo hemos hecho?

¿Tenemos todas las respuestas?

Observa cómo funciona el mundo, y después decide.

No creo que lo hayamos hecho. Creo que todavía tenemos algunas cuestiones que debemos explorar. Aquí hay algunas de las preguntas que creo que debemos seguir formulando:

¿Quién y qué es Dios?

¿Cuál es nuestra verdadera relación con lo Divino?

¿Cuál es nuestra verdadera relación con los demás?

¿Cuál es el propósito de la Vida?

¿Qué *es* esta cosa llamada Vida, y cómo encajamos en ella de tal manera que tenga sentido para nuestra alma?

¿Existe tal cosa llamada alma?

¿Cuál es el sentido de *todo esto*?

Lo que necesitamos un poco más en este planeta es lo que Sir John Templeton llama Teología de la Humildad, la cual admite *no tener todas las respuestas*.

¿Quién o qué podría provocar que acogiéramos esa teología? ¿Quién o qué podría provocar que, como sociedad, encaráramos de otra manera estas preguntas?

Tú.

Tú podrías.

Si tú has vivido experiencias como las que has leído en este libro, si has tenido encuentros como los de Jason y Susan, y Denise y Troy y todos los demás a los que has conocido aquí, entonces tú también puedes convertir tu experiencia personal de *Cuando Dios llega* en una mayor conciencia para miles de personas y, finalmente, para toda la raza humana. Porque *compartir tus experiencias espirituales hará que nos concentremos en las cuestiones que todos debemos atender ahora, como sociedad en evolución*.

¿Tenemos *realmente* todas las respuestas respecto a Dios? ¿*Realmente* sabemos quién es Dios, y qué es lo que Dios quiere y cómo lo quiere? ¿Y estamos *realmente* seguros sobre todo esto como para *matar a la gente que no está de acuerdo con nosotros*? (¿Y después decir que Dios los ha condenado a *ellos* para toda la eternidad?)

¿Sería posible, solo *posible*, que desconozcamos alguna verdad cuyo conocimiento podría cambiar todo?

Por supuesto que sí. Y más y más gente está ofreciendo hablar de sus propias *conversaciones con Dios*, de tal manera que atestiguar las interacciones de la demás gente con lo Divino provocará nuestra capacidad para ver a Dios en todo.

Así es que, amigos míos, es hora de confesar; es hora de llamar con la mano, de contar nuestra historia, de gritar nuestra verdad, de revelar nuestras experiencias más íntimas y dejar que esas experiencias sorprendan a los demás. Esa sorpresa provocará el cuestionamiento sobre Cómo Es Todo; la pregunta que *debe formularse* es si la raza humana habrá de experimentar lo que Barbara Marx Hubbard ha llamado *surgimiento*.

Déjame contarte sobre una interesante teoría que ha planteado la autora y filósofa Jean Houston, porque creo que aquí es pertinente.

Houston cree que la raza humana no evoluciona lentamente durante un periodo de muchos años, sino más bien permanece estancada por periodos prolongados y, después, en el parpadeo comparativo de un ojo cósmico, salta abruptamente hacia delante, dando gigantescos pasos evolutivos de la noche a la mañana. Entonces, la vida regresa a su estancamiento durante otros cientos o miles o millones de años, hasta que la energía acumulada en silencio produce de nuevo el Tiempo de Salto, como un volcán que despierta y hace erupción.

Houston cree que nos encontramos ahora en Tiempo de Salto. La evolución, dice ella, está por hacer otro de sus saltos cuánticos.

Yo estoy totalmente de acuerdo y, en realidad, creo que he sentido el anuncio de esa transformación. Gente como Barbara Marx Hubbard y Marianne Williamson también están de acuerdo. Muchas, muchas personas han sentido que el cambio está cerca (quizá tú también).

Ahora bien, para ayudar a los seres humanos a dar este salto, y que no se queden atrás, lo que creo que debemos hacer es compartir nuestras anécdotas divinas, las cuales hemos experimentado en los momentos más sagrados de la vida, pues es en estos instantes cuando las verdades se *hacen reales* para toda la cultura. Y es *vivir* estas verdades tan sagradas lo que provoca que una cultura avance conforme el universo evoluciona; *y no vivirlas*, lo que ocasiona la muerte de la misma.

Pero aclaremos algo. No estoy hablando de forzar a nadie a creer en nada. No estoy hablando de hacer proselitismo o convertir, ni siquiera convencer. Estoy hablando simplemente de compartir nuestra experiencia en vez de ocultarla, pues no queremos expirar sino avanzar.

Regresemos a nuestras noches alrededor de la fogata, cuando contábamos historias desde el corazón. A eso es a lo que los estoy invitando. Saquemos los malvaviscos y las salchichas y compartamos nuestros relatos, incluso si suenan un poco extraños. Quizás *especialmente* si suenan un poco extraños. ¿No es eso para lo que sirve sentarse alrededor de la fogata?

En la actualidad nuestra fogata es el Internet. Es la llama que se elevará hasta el cielo con las cosas que compartamos como cenizas flotantes llevadas por el viento a cualquier destino.

El Internet, sí, y todavía los libros. Los libros buenos, como las noches buenas alrededor de la fogata, siempre se recuerdan.

Y también contamos con las pláticas sencillas, a la antigua, de persona a persona, que pueden detonar la sensación de la fogata donde quiera que ocurran, y probablemente hacer mayor el impacto.

Digámonos lo que nos mueve, lo que nos está sucediendo, lo que es verdadero sobre lo que hemos visto y experimentado en nuestras vidas. Digámonos nuestra verdad más íntima sobre Dios, sobre nosotros mismos, sobre la espiritualidad, sobre el amor y sobre los llamados superiores de la vida, aquellos que conmueven el alma y evidencian su existencia.

Es un hecho que, en la actualidad, no nos acercamos a hablar de estas cosas. Lo que hacemos es ver la televisión y leer la cotización de las acciones y preguntar: "¿cómo jugaron los Dodgers?". Como dije en la Introducción, trabajamos como locos entre 10, 12 y 14 horas al día, nos arrastramos hasta la cama, exhaustos e intentando encontrar la llama y la energía para una plática real y una interacción profunda con la persona que está del otro lado del colchón, cuando apenas si tenemos suficiente combustible para dar las buenas noches.

Ha pasado demasiado tiempo desde que mucha gente tuvo una *plática* real. Me refiero a lo que Jean Houston llama diálogo profundo, es decir, exponernos y desnudarnos frente al otro. No hablo de una plática dirigida por el ego, sino de aquella en la que se puedan compartir las experiencias, plantear las verdades, revelar los secretos; hablo de una plática en la que haya *intercambios de energía del alma* que abran la mente y expandan el corazón.

Vamos a empezar a contar de nuevo. Empecemos a notar realmente las muchas, muchas veces en nuestra existencia en las que Dios interviene y *llamémoslas así* para que no nos *perdamos* la vida.

A esto es a lo que me refiero con La Invitación, la cual proviene del Cosmos, no de mí. Es la Vida que invita a la Vida a decirle a la Vida más de la Vida.

Si aceptamos La Invitación, quizá signifique oponerse a la corriente, sonar un poco extraño o ser considerado un loco. Puede incluso exponernos al ridículo.

Ese es el costo.

Ese es el precio.

Esa es la tarifa para Regresar a Casa.

Para cerrar...

S i quieres compartir alguna historia sobre la intervención de Dios en tu vida, y al hacerlo ayudar a cambiar el mundo, te invito a escribir tu relato y experiencia en el muro de mensajes de www.changingchange.net. Este sitio está dedicado a ayudar y curar a la gente cuyas vidas han sido visitadas por un cambio inesperado y difícil (la clase de cambio que puede trastocar la existencia por completo), y es una extensión de mi libro, *When Everything Changes, Change Everything* (Cuando todo cambia, cambia todo). Escuchar tu historia puede traer una esperanza enorme a otros que han llegado a ese sitio porque su vida se ha desmoronado.

Quizá también quieras unirte a www.nealedonaldwalsch.com y entrar en contacto con las muchas personas que me visitan cada día en el foro de lectores. A esas personas también les encantaría escuchar tu historia.

No te preocupes por tu habilidad para escribir o para expresarte. Solo narra tu verdad.

Aquí te indico algunas pautas que deberás seguir al redactar tu historia.

Una historia en la que tu nombre verdadero y ciudad de residencia no aparezcan pierde verosimilitud.

Aquí estamos atestiguando a Dios en acción, y cuando la gente lee algo que es increíble o difícil de creer, puede decir: "Descabellado… jamás pasó… Neale está inventando esto".

Nuestros lectores necesitan y quieren saber que la historia es *real* y lo que la hace real es que la *gente real* se pare y diga: *¡Sí, eso me pasó realmente a mí!*

Si tu historia contiene información que no quieres que otras personas sepan, entonces no la envíes. Pero recuerda, parte de la razón por la que tenemos tal desafío para cambiar la forma como nuestra sociedad ve y entiende a Dios se debe a que mucha gente que ya ha tenido experiencias impactantes y reales en torno al trabajo directo de Dios en sus vidas *no quiere decirle a nadie* por miedo a sentirse avergonzada por los detalles. (No tengo que señalar que si yo me hubiese dejado regir por esto, ninguno de mis libros se habría escrito...).

Una historia donde se le haga publicidad a un producto o un servicio será eliminada.

Una historia que cuente que la vez en que Dios intervino en tu vida fue cuando abriste *Conversaciones con Dios* no será usada, a menos que la circunstancia sea increíblemente extraordinaria, porque la utilización excesiva de tales historias (¡recibimos cientos!) podría parecer a conveniencia de nuestra parte.

Historias sobre acontecimientos de la vida real en los cuales sentir a Dios —Ángel, Guía, Fuerza Benevolente o como quieras llamarle— tuvo un papel crucial en tu vida serán de gran interés para los lectores y de mucha ayuda para crear esperanza.

Yo creo que la gente en todo el mundo ha estado *esperando* una oportunidad para defender sus opiniones respecto a Dios. Veo conferencias, convenciones y reuniones de todo tipo que llevan a cabo quienes han experimentado a Dios en su vida, y que desean comparar notas con los demás. Veo que se realizan entrevistas en los medios, y que las iglesias hacen cuestionamientos sinceros. Veo que un mundo entero empieza a despertar. Y veo que tú eres parte de esto; no yo, sino todos *ustedes*, pues estamos de acuerdo en que ha llegado el momento.

Benditos sean.

Neale Donald Walsch
Ashland, Oregón.
Febrero de 2011